中华人民共和国国家标准

钢铁企业煤气储存和输配系统
设 计 规 范

Code for design of gas storage & transportation and distribution system for iron steel enterprises

GB 51128 - 2015

主编部门：中 国 冶 金 建 设 协 会
批准部门：中华人民共和国住房和城乡建设部
施行日期：2 0 1 6 年 5 月 1 日

中国计划出版社

2015 北 京

中华人民共和国国家标准

钢铁企业煤气储存和输配系统

设 计 规 范

GB 51128-2015

☆

中国计划出版社出版

网址：www.jhpress.com

地址：北京市西城区木樨地北里甲11号国宏大厦C座3层

邮政编码：100038　电话：（010）63906433（发行部）

新华书店北京发行所发行

三河富华印刷包装有限公司印刷

850mm×1168mm　1/32　5.5印张　139千字

2015年12月第1版　2015年12月第1次印刷

☆

统一书号：1580242·791

定价：33.00元

中华人民共和国住房和城乡建设部公告

第894号

住房城乡建设部关于发布国家标准《钢铁企业煤气储存和输配系统设计规范》的公告

现批准《钢铁企业煤气储存和输配系统设计规范》为国家标准，编号为GB 51128—2015，自2016年5月1日起实施。其中，第3.3.2、3.4.1(5)、3.4.2、5.1.7、5.4.2(4)、8.1.11、8.2.6、8.2.10、8.4.1(6、7)、8.4.2(3)、8.4.3(3)、8.4.7、8.4.10、9.6.1条(款)为强制性条文，必须严格执行。

本规范由我部标准定额研究所组织中国计划出版社出版发行。

中华人民共和国住房和城乡建设部

2015年8月27日

前　言

本规范是根据住房城乡建设部《关于印发〈2009年工程建设标准制订、修订计划〉的通知》(建标〔2009〕88号)的要求，由中冶华天工程技术有限公司会同有关单位共同编制而成。

本规范在编制过程中，编制组根据国家有关政策进行了广泛调查研究，总结了我国钢铁企业煤气储存和输配系统的设计、施工和生产经验，广泛征求了设计、施工和生产等方面的意见，对其中的主要问题进行了多次讨论、协调，最后经审查定稿。

本规范共分10章和7个附录，主要内容包括：总则、术语、总平面布置、煤气储存、煤气净化、煤气混合站、煤气加压站、煤气管道、辅助设施、安全与环保等。

本规范中以黑体字标志的条文为强制性条文，必须严格执行。

本规范由住房城乡建设部负责管理和对强制性条文的解释，由中国冶金建设协会负责日常管理工作，由中冶华天工程技术有限公司负责具体技术内容的解释。本规范在执行过程中，请各单位结合工程实际情况，认真总结经验，如发现有需修改补充之处，请将意见和建议寄交中冶华天工程技术有限公司(地址：江苏省南京市建邺区富春江东街18号；邮政编码：210019)，以便今后修订时参考。

本规范主编单位、参编单位、主要起草人和主要审查人：

主 编 单 位：中冶华天工程技术有限公司

参 编 单 位：中冶赛迪工程技术股份有限公司
中冶南方工程技术有限公司
中冶京诚工程技术有限公司
中冶焦耐工程技术有限公司

中冶华天南京工程技术有限公司
成都华西工业气体有限公司
江苏环能工程有限公司
济南华创科技开发有限公司
安徽美祥实业有限公司

主要起草人：徐华祥　徐庆余　熊树林　潘　宏　包儒涵
程　杰　张昌明　刘　静　曾　轲　周秋贵
徐小勇　李　进　项丽梅

主要审查人：蔡令放　关　绅　张云生　韩渝京　刘　健
程有林　邓茂忠　李　布　许立新

目　次

Contents

1 总 则

1.0.1 为了在钢铁企业煤气储存和输配系统设计中，贯彻执行国家有关方针政策，统一技术要求，做到安全可靠、技术先进、经济合理、节能环保，制定本规范。

1.0.2 本规范适用于新建和改建的钢铁企业煤气储存和输配系统的设计。本规范不适用于天然气和液化石油气的储存和输配系统的设计。

1.0.3 钢铁企业煤气储存和输配系统的设计，除应符合本规范外，尚应符合国家现行有关标准的规定。

2 术 语

2.0.1 煤气输配系统 gas storage & transportation and distribution system

对煤气进行储存、净化、混合、加压，根据煤气平衡将煤气进行合理分配和调度并通过管网输送到各用户的场站系统。

2.0.2 煤气储配站 gas stored and distributed station

用于储存、净化、混合、加压、输送煤气站场的总称。包括煤气储存、煤气净化、煤气混合、煤气加压等。

2.0.3 煤气净化站 gas purification station

对高炉煤气、转炉煤气、焦炉煤气等采用物理和化学方法进行净化的场站。

2.0.4 煤气混合站 fuel gas mixing station

两种或两种以上不同成分的煤气通过管道、阀门和控制装置采用物理混合的方式，混合成一种煤气的场站总称。

2.0.5 煤气加压站 fuel gas pressurizing station

为满足用户使用压力要求，通过一台或多台煤气升压设备将较低压力的煤气提升至较高压力的场站总称。

2.0.6 干式煤气柜 waterless gasholder

具有非水密封且由活塞来平衡外部管网煤气压力的煤气柜。包括稀油密封型煤气柜和橡胶膜密封型煤气柜，简称干式柜或煤气柜。

2.0.7 多边形稀油密封型煤气柜 polygon oil seal gasholder

以稀润滑油作密封介质的外壳为正多边形的储气柜，简称多边形稀油柜。

2.0.8 圆筒形稀油密封型煤气柜 cylindrical oil seal gasholder

以稀润滑油作密封介质的外壳为圆筒形的储气柜，简称圆筒形稀油柜。

2.0.9 橡胶膜密封型煤气柜　rubber seal type gasholder

采用橡胶膜作为活塞密封方法的干式柜，具有采用特制橡胶膜的活塞结构和圆筒形的外形特征，简称橡胶膜柜。

2.0.10 煤气柜计算容积　gasholder calculated capacity

根据理论计算得出的煤气柜储气容积。

2.0.11 煤气柜公称容积　nominal capacity for waterless gasholder

煤气柜活塞从柜底达到紧急放散管时的实际可储气体容积的圆整值。

2.0.12 煤气柜实际容积　gasholder actual capacity

煤气柜工作时实际可以储存煤气的最大容积。

2.0.13 煤气柜工作压力　nominal working pressure by gasholder

煤气柜活塞静置时柜内下部的储气压力。当储存介质密度小于空气时，煤气柜工作压力为柜内储气压力和因介质密度差异产生的压差两项之和。

2.0.14 煤气柜高径比　gasholder height-diameter ratio

煤气柜侧板总高与煤气柜内径之比。

2.0.15 密封油高度　seal oil height

密封滑板或密封橡胶带高端以上的密封油高度。

2.0.16 高炉煤气净化　BFG purification

利用布袋除尘器、电除尘器、水洗涤塔等净化设备对煤气中的尘粒和其他杂质进行去除以及降温和脱水的工艺。

2.0.17 焦炉煤气净化　COG purification

本规范中焦炉煤气净化指钢铁企业内的焦炉煤气二次净化，即利用物理和化学方法去除煤气中的高碳氢比的有机化合物和硫化物等杂质的净化工艺。

2.0.18 标况流量　flow rate of gas under standard conditions

在标准状态下(0℃,101.325kPa)的气体体积流量。

2.0.19 工况流量 flow rate of gas under the operating state

在实际状态下的气体体积流量。

2.0.20 工况系数 factor of gas under the operating state

工况流量与标况流量之比值。

2.0.21 煤气的经济流速 gas economic velocity

满足管网允许压力损失要求,管径选择较经济的工况流速。

2.0.22 计算压力 calculated pressure

煤气设施在运行工况时可能达到的最高工作压力。

2.0.23 隔断装置 curtain appliance

配置在煤气管道上,用于隔断煤气,具有可靠保持煤气不泄漏到隔离区域功能的装置统称。

2.0.24 盲板阀 blank plate valve

由盲板、透板等组合而成的一块形似眼镜的阀板机构,包括眼镜阀、插板阀、扇形阀等。

2.0.25 能源管理中心系统(EMS) energy management system

一套自动化、信息化和管理一体化系统,能源中心行使管控职能的机构。

2.0.26 非常监视和操作 watch & operation under abnormal conditions

现场设备和能源管理中心之间通过硬缆连接,在控制系统设备、工业网络或中央网络出现系统性故障时,能源中心能够对保证系统安全最为重要的设备进行监视和操作。

2.0.27 两段串联塔式全干法净化工艺 two-stage tandem tower type dry purification technology

一种通过净化与精制串联方式脱除煤气中的有机化合物和硫化物等杂质,达到净化要求的工艺。

2.0.28 变温吸附(TSA) temperature swing adsorption technology

利用吸附剂的吸附量随温度升高而降低的特性，采用常温吸附、升温脱附将气体进行物理分离的方法。

2.0.29 变压吸附（PSA） pressure swing adsorption technology

利用吸附剂的吸附量随压力升高而升高的特性，采用加压吸附、减压脱附将气体进行物理分离的方法。

3 总平面布置

3.1 煤 气 柜

3.1.1 煤气柜的布置应兼顾气源点和主要用户区域，应布置在全年最小频率风向的上风侧。煤气柜应与大型建筑、仓库、通信和交通枢纽等重要设施之间保持防火间距，并应布置在通风良好的地区，不应建设在居民稠密区。

3.1.2 煤气柜(罐)与建(构)筑物、储罐和堆场的防火间距应符合现行国家标准《建筑设计防火规范》GB 50016 的有关规定，并应符合下列规定：

1 稀油柜的油泵房(站)、电梯机房和煤气安全放散管等煤气柜的附属设施与煤气柜的防火间距，可按工艺要求合理布置。煤气喷雾冷却泵房与煤气柜柜壁的防火间距不宜小于 6m。

2 在柜区围墙内与干式柜配套运行的电捕焦油器、电除尘器和加压机等露天燃气工艺装置与该干式柜的防火间距不宜小于 6m。在柜区围墙内不与干式柜配套运行的电捕焦油器、电除尘器和加压机等露天燃气工艺装置与干式柜的防火间距应符合下列规定：

1) 燃气密度轻于空气时，不宜小于 15m；

2) 燃气密度重于空气时，不宜小于 18m。

3 煤气柜与烟囱的最小水平距离不应小于烟囱高度的1.1倍。

3.1.3 煤气柜、固定容积煤气储罐和助燃气体储罐之间的防火间距，应符合现行国家标准《建筑设计防火规范》GB 50016 的有关规定。

3.1.4 煤气柜与铁路、道路的防火间距，应符合现行国家标准《建筑设计防火规范》GB 50016 的有关规定。

3.1.5 煤气柜区周围应设围墙，围墙高度不应小于 2.2m。围墙形式可采用实体围墙或金属栅栏。当煤气柜容积小于或等于200000m^3时，柜体外壁与围墙的间距不宜小于15.0m；当煤气柜容积大于200000m^3时，柜体外壁与围墙的间距不宜小于18.0m。

3.1.6 煤气柜与架空电力线的最小水平距离不应小于电杆（塔）高度的1.5倍。

3.1.7 容积大于30000m^3的煤气柜周围宜设环行消防车道，消防车道的宽度不应小于4m。特殊情况下，可将柜区外的道路作为煤气柜消防车道，但应满足消防车道的要求。

3.1.8 煤气柜区宜设两个独立的道路进出口。

3.1.9 煤气柜区应设操作值班室和配电室等生产辅助设施。当煤气柜由远程控制中心监控时，站区内可不设操作值班室，但宜设就地操作机房。

3.1.10 煤气柜区的绿化应符合现行国家标准《钢铁冶金企业设计防火规范》GB 50414的有关规定。

3.2 煤气净化站

3.2.1 新建的煤气净化站应布置在宽敞的区域，且设备间应通风良好。

3.2.2 煤气净化站区域内，不应设与本工序无关的设施及建（构）筑物。

3.2.3 煤气净化设备为室外布置时，应采用户外型。

3.2.4 煤气净化站区域应设检修和消防车道。

3.2.5 煤气净化站的露天设备之间及与其所属厂房的间距，可根据工艺流程畅通、靠近布置的原则确定。露天设备间的距离不宜小于2.0m，露天设备与其所属厂房的距离不宜小于3.0m。

3.2.6 煤气净化站区域布置除应符合本规范的规定外，还应符合现行国家标准《工业企业煤气安全规程》GB 6222的有关规定。高炉煤气干法净化系统还应符合现行国家标准《高炉煤气干法袋式除尘设计规范》GB 50505的有关规定。

3.3 煤气混合站

3.3.1 煤气混合站的位置应根据企业煤气平衡并结合企业煤气管网的布置统筹确定。

3.3.2 煤气混合站应布置在室外，严禁布置在地下室或半地下室内。

3.3.3 煤气混合站独立设置时，宜设管理室和仪表室等生产辅助设施。

3.3.4 煤气混合站区域布置除应符合本规范的规定外，还应符合现行国家标准《工业企业煤气安全规程》GB 6222 的有关规定。

3.4 煤气加压站

3.4.1 煤气加压站布置应符合下列规定：

1 应根据工艺和设备的技术性能及经济合理性，确定加压机为室内布置或露天布置；

2 当加压机露天布置时，加压机和电机等设备应采用户外型；

3 独立设置的煤气加压站宜设围墙；

4 煤气加压站应设消防和检修通道；

5 煤气加压站内严禁设置地下室或半地下室；

6 煤气加压站厂房应设两个独立的进出口。

3.4.2 煤气加压站与铁路、道路和建(构)筑物的防火间距不应小于表 3.4.2 的规定。

表 3.4.2 煤气加压站与铁路、道路和建(构)筑物的防火间距(m)

名　称	煤气加压站与建(构)筑物的防火间距
企业外铁路中心线	25
企业内铁路中心线	20
企业外道路路边	15
企业内主要道路路边	10

续表 3.4.2

名称			煤气加压站与建(构)筑物的防火间距
企业内次要道路路边			5
明火或散发火花地点			30
室外变配电站			25
架空电力线			1.0 倍电杆高
民用建筑			25
其他建筑	耐火等级	一、二级	10
		三级	12
		四级	14

注:1 明火地点指室外有外露火焰或赤热表面的固定地点。散发火花地点指有飞火的烟囱或室外的砂轮、电焊、气焊(割)、电气开关等固定地点。

2 本表中煤气加压站内的建(构)筑物不含煤气管道和管廊。

3 当煤气加压站为甲类厂房时,与企业外铁路中心线的防火间距为 30m。

4 当煤气加压站为甲类厂房时,与架空电力线的防火间距为电杆高的 1.5 倍。

3.4.3 煤气加压站宜设管理室和配电室等生产辅助设施。

3.4.4 煤气加压站区域布置除应符合本规范的规定外,还应符合现行国家标准《工业企业煤气安全规程》GB 6222 的有关规定。

4 煤气储存

4.1 一般规定

4.1.1 钢铁企业生产过程中产生的高炉煤气、熔融还原炉煤气、焦炉煤气和转炉煤气等副产煤气，应回收、储存和利用。

4.1.2 钢铁企业煤气储存设施应选用干式煤气柜。

4.1.3 煤气柜的适用范围宜符合表4.1.3的规定。

表4.1.3 煤气柜的适用范围

煤气柜类型	设计压力(kPa)	设计温度(℃)	储存煤气含尘量(mg/m^3)	可储存的煤气种类
多边形稀油柜	3～15	≤60	≤10	高炉煤气、熔融还原炉煤气、焦炉煤气等
圆筒形稀油柜	3～20	≤60	≤10	
橡胶膜柜	2～15	≤70	≤200	转炉煤气、焦炉煤气、高炉煤气、熔融还原炉煤气等

注：1 当煤气进柜温度大于表中的设计温度时，宜在进柜前的煤气管道上采取降温措施；

2 工程需要时，经有资质的设计单位论证后，表中的设计压力和温度范围可提高。

4.1.4 煤气柜柜体设计寿命不宜低于30年。

4.1.5 煤气柜柜体钢结构设计应符合下列规定：

1 煤气柜柜体设计应符合工艺要求；

2 风、雪和灰载荷不应小于建柜地区的实际值，并应符合现行国家标准《建筑结构荷载规范》GB 50009的有关规定；

3 煤气柜抗震设计应符合本规范第9.6.2条的规定。

4.1.6 煤气柜柜体材质应符合下列规定：

1 煤气柜用钢材除应符合煤气柜的特殊要求外，在寒冷地区，应计及钢材的低温性能。在沿海地区，应计及海风和土壤对煤气柜的侵蚀。

2 钢材应采用镇静钢，应能满足设计的强度、塑性、韧性、耐疲劳性和可焊性等要求。

3 柜体侧板、底板、柜顶板等应按现行国家标准《热轧钢板和钢带的尺寸、外形、重量及允许偏差》GB/T 709 中的较高轧制精度 A 类控制钢板的负偏差。活塞板的负偏差应按现行国家标准《热轧钢板和钢带的尺寸、外形、重量及允许偏差》GB/T 709 有关单轧钢板的 B 类控制，且负偏差应小于或等于 0.3mm，其余钢板的负偏差应按单轧钢板的 N 类或 A 类控制或按钢带(包括连轧钢板)的普通轧制精度 PT.A 控制。

4 钢材的品种、规格和性能等应符合现行国家标准和设计要求，进口钢材产品的质量应符合设计和合同规定标准的要求。

5 对于厚度小于 3mm 的钢板应符合现行国家标准《碳素结构钢和低合金结构钢热轧薄钢板和钢带》GB 912 的有关规定。对于厚度大于或等于 3mm 的钢板应符合现行国家标准《碳素结构钢和低合金结构钢热轧厚钢板和钢带》GB/T 3274 的有关规定。

6 对国外进口钢材、钢材混批、设计有复验要求的钢材、对质量有疑义的钢材，应进行抽样复验，其复验结果应符合现行国家标准和设计要求。

7 手工电弧焊的焊条应符合现行国家标准《非合金钢及细晶粒钢焊条》GB/T 5117 或《热强钢焊条》GB/T 5118 的有关规定。气体保护焊焊丝应符合现行国家标准《气体保护电弧焊用碳钢、低合金钢焊丝》GB/T 8110 的有关规定。埋弧焊焊丝应符合现行国家标准《熔化焊用钢丝》GB/T 14957 的有关规定。

8 重要钢结构采用的焊接材料应进行抽样复验，复验结果应符合现行国家标准和设计要求。

9 高强螺栓应符合现行国家标准《钢结构用扭剪型高强度螺栓连接副》GB/T 3632 的有关规定。圆筒形稀油柜侧板与侧板，侧板与立柱所用的安装螺栓应为特制的螺栓，应按普通螺栓 A 级控制尺寸偏差，其他安装螺栓可用普通螺栓 C 级。紧固件的检验应按现行国家标准《钢结构工程施工质量验收规范》GB 50205 的有关规定执行。

10 煤气柜柜体上的受力焊接构件应采用性能不低于 Q235-B 的钢板制造。

11 钢板、无缝钢管、型钢、螺栓和螺母的钢号、标准及许用最低温度以及焊条，应符合本规范附录 A 的规定。

4.1.7 稀油柜柜体的组成应符合下列规定：

1 稀油柜柜体应由柜底、筒体、柜顶和活塞等组成。筒体应为正多边形棱柱体或圆柱体。

2 稀油柜柜顶应设风帽和柜顶内部吊笼平台。

3 稀油柜柜顶和柜体侧板上部宜设采光窗。

4 稀油柜柜体内应设能上下灵活移动的活塞。活塞外周应设密封装置。

5 稀油柜柜体底部应设底部油沟。

6 稀油柜柜体组成名称应符合本规范附录 B 和附录 C 的有关规定。

4.1.8 橡胶膜柜柜体的组成应符合下列规定：

1 橡胶膜柜柜体应由底板、筒体、柜顶和活塞等组成。筒体应为圆柱体。

2 橡胶膜柜柜顶应设风帽和柜顶内部平台。

3 橡胶膜柜柜体内应设能上下灵活移动的活塞。活塞可设计为一段或两段。

4 橡胶膜柜柜体组成名称应符合本规范附录 D 的有关规定。

4.1.9 稀油柜的工艺配管和附属设施应符合下列规定：

1 稀油柜柜体侧板下部应设煤气进出口管、吹扫气体进口管、吹扫气体放散管、底部油沟冲洗管、柜底板冲洗管和底部油沟加热管等工艺配管。与柜体侧板相接的工艺配管均应设隔断装置。

2 稀油柜应设密封油供应系统、油水分离设施、高位预备油箱和密封油溢流口。

3 稀油柜应设容积指示装置、活塞位置测定装置、活塞倾斜测定装置、活塞防回转装置、活塞导向装置、活塞油沟油位测量装置等。

4 稀油柜柜体上部应设煤气紧急放散管。煤气紧急放散管的管口高度应高出柜顶檐口 4m 以上。煤气紧急放散管不应用于煤气正常放散。

5 稀油柜底部侧板上应设底部油沟的油位、水位观察装置，其数量不应少于 2 个。

6 稀油柜上部侧板上宜设密封油溢流状况观察孔，其数量应与密封油溢流口相同。

7 稀油柜下部侧板上应设检修人孔，检修人孔的公称直径不应小于 $DN500$。

8 稀油柜柜外宜设防爆型外部电梯，稀油柜内顶部平台上应设防爆型内部吊笼和手动救护装置。

9 稀油柜应设从地面到柜顶的外部走梯，外部走梯应与柜体每层回廊相连通。外部走梯可设在柜体侧壁板上，也可设在外部电梯的井筒外壁上。

10 稀油柜电梯井筒的设计除应符合工艺要求外，还应符合现行国家标准《电梯制造与安装安全规范》GB 7588 的有关规定。

4.1.10 橡胶膜柜的工艺配管和附属设施应符合下列规定：

1 橡胶膜柜柜体侧板下部应设煤气进口管、煤气出口管、吹扫气体进口管、煤气紧急放散管装置、煤气冷凝水排放管等工艺配管。与柜体侧板相接的工艺配管均应设隔断装置。

2 橡胶膜柜活塞和T-挡板上应设橡胶膜密封装置。橡胶膜的质量应符合现行行业标准《贮气柜用橡胶密封膜》HG/T 4074的有关规定。

3 橡胶膜柜应设容积指示装置、活塞挡轮、活塞位置测定装置、活塞倾斜测定装置和活塞调平装置。

4 橡胶膜柜柜顶应设密封橡胶膜吊装孔。

5 橡胶膜柜柜体侧板上应设进出柜体门。进出柜体门的数量和位置应由工艺设计确定。

6 橡胶膜柜柜外壁上应设从地面到柜顶的外部走梯。外部走梯应与柜体每层回廊和进出柜体门相连通。

7 在不接触煤气的橡胶膜柜柜体侧板上,应设通风孔。

8 在设有密封角钢处的橡胶膜柜柜体侧板上,应设冷凝水排出孔。

9 橡胶膜柜柜体上应设煤气紧急放散装置。煤气紧急放散装置的管口应高出柜顶檐口4m以上。煤气紧急放散装置不应用于煤气正常放散。

10 橡胶膜柜柜体下部应设打开煤气紧急放散装置的手摇卷扬机。

4.1.11 设在冬季室外温度低于0℃地区的煤气柜,应采取下列防冻措施:

1 稀油柜底部油沟加热和保温宜采用压力为0.3MPa~0.4MPa的低压饱和蒸汽或温度不大于90℃热水。底部油沟中密封油温度不宜大于50℃。当采用蒸汽加热时,蒸汽管不应与密封油直接接触。室外水和密封油管道应采取保温包扎或伴热等措施。

2 在冬季极端最低温度低于-20℃的地区,稀油柜预备油箱和活塞油沟应采取加热措施。冬季活塞油沟内的密封油温度宜控制在5℃~15℃范围内。

3 水和密封油管道阀门应采用铸钢阀体。

4.2 稀油密封型煤气柜

4.2.1 稀油柜容积的确定应符合下列规定：

1 当储存高炉煤气时，稀油柜计算容积宜根据高炉休风时的安全容量、用户波动调节容量、突发过剩煤气安全容量及稀油柜安全容量等因素综合确定；

2 当储存焦炉煤气时，稀油柜计算容积宜根据焦炉生产时外供煤气波动量、焦炉煤气排风机突然故障的安全容量、用户波动调节容量及稀油柜安全容量等因素综合确定。

3 稀油柜公称容积系列宜按表 4.2.1 选取。

表 4.2.1 稀油柜公称容积系列

稀油柜公称容积 $V(10^4 m^3)$										
1	2	3	5	8	10	12	15	20	25	30

4.2.2 稀油柜的设计技术参数应符合下列规定：

1 稀油柜设计压力、设计温度和储存煤气的含尘量应按本规范表 4.1.3 的规定取值。

2 稀油柜的高径比宜取 1.50～1.90。

3 公称容积为 200000m³ 及以下多边形稀油柜的边数宜取 4 的倍数，公称容积为 200000m³ 以上多边形稀油柜的边数宜取为 4 或 6 的倍数。圆筒形稀油柜的边数宜取 4 的倍数。

4 多边形稀油柜的边长宜采用 6000mm～7000mm，圆筒形稀油柜相邻立柱间弧长宜采用 5000mm～6500mm。

5 多边形稀油柜的活塞运行速度不宜大于 2m/min，圆筒形稀油柜的活塞运行速度不宜大于 3m/min。

6 稀油柜活塞上下导轮的间距宜取 $D_i/7$～$D_i/10$。

7 多边形稀油柜的柜顶锥角宜取 150°～165°，圆筒形稀油柜的活塞顶拱和柜顶拱中心角宜取 30°～45°。公称容积小于或等于 150000m³ 时，宜取较大值；公称容积大于 150000m³ 时，宜取较小值。

8　稀油柜活塞密封装置超过紧急放散口后应预留保安高度。

4.2.3　稀油柜结构设计应符合下列规定：

1　柜底板应以底部油沟挡板为界，底部油沟挡板应以内部分为中央底板，底部油沟挡板应以外部分为边环板，并应符合下列规定：

1)底板厚度不宜小于 5mm；

2)边环板宜采用扇形铺设，板与板的连接宜采用垫板对接焊；

3)边环板伸出煤气柜筒体侧板外表面的距离宜取边环板厚度的 8 倍～10 倍；

4)中央底板宜采用交错式顺序搭接铺设，板与板的连接宜采用搭接焊。

2　筒体应由立柱、回廊和带加劲肋侧板等组成，并应符合下列规定：

1)侧板可采用容器钢板、碳素结构钢板、低合金结构钢板和耐候钢板等；

2)筒体与柜顶组成的整体结构应能承受风荷载、雪荷载、自重荷载、施工荷载、地震等荷载的作用，同时还应计及活塞、电梯以及日照产生的温差等因素对柜体产生的影响。

3　柜顶应为骨架与外铺设钢板的组合体，并应符合下列规定：

1)柜顶骨架宜采用径向与环向直立交梁组成的穹顶空间网状结构或由多单榀桁架组成的空间桁架结构。

2)柜顶薄板厚度不宜小于 4mm。

3)柜顶通风帽应设在柜顶中央。柜顶通风帽应能满足活塞最大设计速度时的进出空气量。当不能满足时，应在靠近檐口的侧板上加开通风口。

4)柜顶应设采光窗，采光窗应采用防碎的夹丝玻璃。

4　活塞应为活塞桁架和活塞底板或箱形梁和球壳组成的空间结构，并应符合下列规定：

1)多边形稀油柜活塞宜采用平底的空间桁架结构，圆筒形稀油柜活塞宜采用周边带箱形环梁的球形拱穹顶结构；

2)活塞四周应设煤气密封装置；

3)在活塞桁架上与立柱对应的部位应设上、下导轮，导轮的型式可根据需要采用固定式和弹簧式；

4)在特定的导轨上应设活塞防回转装置；

5)多边形稀油柜活塞油沟或圆筒形稀油柜箱形梁上表面高度与密封油正常油位上限的距离不宜小于 200mm。圆筒形稀油柜箱形梁内浇注的素混凝土上表面上的净空不宜小于 700mm。

5 配重应为活塞平衡气体压力的理论总质量与活塞结构质量、工艺设施质量和其他设施质量之差，并应符合下列规定：

1)配重应分成固定配重和可变配重。

2)配重应在柜体结构施工完毕并已进行无配重试压后，根据试压情况确定实际配重质量。

3)圆筒形稀油柜的固定配重宜均匀分布在活塞箱形梁内和活塞拱与活塞箱形梁连接处的根部位置。可变配重宜均匀分布在活塞箱形梁上和活塞拱与活塞箱形梁连接处根部的固定配重上。

4)多边形稀油柜的活塞配重宜为可变配重。可变配重应沿整个活塞板对称分布。

5)配重宜采用混凝土结构，混凝土标号不应低于 C25。可变配重单块重量宜为$25^{+0.5}_{-0.5}$kg，每 100 块可变配重累积误差不应大于 20kg。

6 梯子、平台和栏杆的设计应符合下列规定：

1)回廊的宽度不得小于 1100mm，外部电梯与煤气柜回廊的连接平台宽度不得小于 1500mm，其余平台的宽度不得小于 1000mm。

2)旋梯、斜梯的升角宜取 40°～45°，宽度不得小于 750mm。

扶梯踏步的最小宽度应为 200mm，踏步间距应为 200mm～250mm，同一梯子的踏步间距应相同。

3）梯子踏步、回廊板和平台板均应采用花纹钢板等防滑板材制造。

4）梯子、回廊和平台的栏杆（包括立柱、护腰及踢脚板），其本身的接头及栏杆立柱固定端均应采用等强度连接。

5）栏杆立柱的间距不应大于 1000mm，栏杆高度不应低于 1200mm。柜体斜梯内侧应装设栏杆。

6）柜顶和活塞上的拱形通道应至少设置一侧栏杆。

7）活塞导轮支架上层走台内侧应设栏杆，栏杆高度不应低于 1100mm。

4.2.4 稀油柜活塞油沟和密封装置设计应符合下列规定：

1 活塞油沟的设计应符合下列规定：

1）稀油柜活塞油沟宜设密封油和煤气冷凝水的排放装置；

2）活塞油沟的宽度不宜小于 0.5m；

3）活塞油沟的密封油高度应按下列公式计算：

$$h_c = h_1 + h_2 + h_3 + h_4 + h_5 \tag{4.2.4-1}$$

$$h_1 = \frac{P + \Delta p}{g \times \gamma} \tag{4.2.4-2}$$

式中：h_c——密封油计算高度（m）；

h_1——密封煤气所需的密封油位计算高度（m）；

h_2——由于活塞倾斜引起的油位补充高度(mm)；

h_3——由于侧壁附着密封油引起活塞密封油沟油位减少所需补充的油位高度；

h_4——附加安全裕量，可取 0.1m～0.2m；

h_5——圆筒形稀油柜由橡胶层顶面到活塞油沟底面的结构高度；多边形稀油柜由滑板顶面到活塞油沟底面的结构高度(m)；

P——煤气柜的工作压力(Pa)；

Δp——煤气柜的工作压力的波动值，可取150Pa～200Pa；

g——重力加速度(m/s^2)；

γ——密封油密度(kg/m^3)。

2 在对应每个预备油箱流溢口的中心线处和两个相邻预备油箱流溢口的中心线附近，应各设一个活塞油沟分隔装置。活塞油沟分隔装置数量宜为油泵房(站)数量的2倍。

3 在活塞的每榀桁架上应设上、下活塞导轮。活塞上、下导轮处宜设巡检和注油的操作平台。

4 活塞外周应设4个均布的人工测定活塞倾斜装置，并宜设在线检测活塞倾斜装置。

5 在活塞上对应于密封油溢流口的位置，应设溅油收集板。溅油收集板回收的密封油应能返回到活塞油沟中。

6 在活塞油沟的下部，对应于煤气紧急放散管的位置应设防溅板。防溅板的数量应与煤气紧急放散管的数量相同。防溅板的尺寸应能使煤气紧急放散管内的密封油不飞溅到柜内底板上。

4.2.5 稀油柜密封油供应系统应由密封油、油泵站、油上升管、预备油箱、活塞油沟和底部油沟组成，密封油供应系统应为闭合循环系统。密封油供应系统的设计应符合下列规定：

1 密封油应具有黏温特性好、凝固点低、闪点高、抗氧化性、油水分离性好、抗乳化性好等特性，并应符合下列规定：

1) 稀油柜密封油应采用煤气柜专用密封油；

2) 密封油的黏度不应小于$40\times10^{-6}m^2/s$，凝固点应低于建柜地区冬季最低温度10℃。

2 冬季气温低于0℃地区的油水分离器，应采取加热措施。

3 稀油柜四周每隔35m～42m，应设1个油泵房(站)。油泵房(站)内应设1台油水分离器和2台供油泵。2台供油泵可分别投运，也可同时运行。每台供油泵的进口和出口管道之间宜设回流调节阀，出口总管上应设止回阀。在寒冷地区，油泵房宜采用砖混结构。其他地区的油泵站可采用金属箱体结构。

4 预备油箱应设在柜体上部。预备油箱的储油量应能维持稀油柜正常运行4h～6h。预备油箱的溢流口应有足够的长度和良好的水平度。

5 底部油沟应由侧板、底部油沟挡板与油沟底板合围而成的空间组成，并应符合下列规定：

1）底部油沟可不分隔，也可根据油泵房（站）数量进行分隔。当底部油沟分隔时，其相邻两个底部油沟之间应设连通管和阀门，必要时可使其连通；

2）底部油沟的容积宜在水层高度不变时能储存下整个活塞油沟中的全部密封油并适当留有余量。

4.2.6 稀油柜柜体上的工艺附属设施的设计应符合下列规定：

1 煤气进口管和出口管应符合下列规定：

1）煤气进口管和出口管可共用一根，也可分别设置。当煤气进口管和出口管分别设置时，进口和出口管道应错开布置。

2）煤气进口和出口管的设计流量不应大于活塞的最大吞吐量。

3）在煤气进口和出口管上应设隔断装置。

4）煤气进口和出口管的垂直管路上应有补偿措施。

5）当煤气进口和出口管经地坑进入煤气柜时，在低点处应设排水设施，在排水口附近应设检修人孔。

6）地坑中的煤气进口和出口管作为水封使用时，其水封设计应符合现行国家标准《工业企业煤气安全规程》GB 6222的有关规定。

7）煤气进出口管地坑中，应设爬梯、固定式一氧化碳检测报警装置和强制通风设施。

2 在煤气进口管路上应设煤气安全放散管，煤气安全放散管的流通面积宜取煤气进口管流通面积的30%～40%。煤气安全放散管宜沿柜体向上敷设，放散管口距柜顶回廊的高度应大于4m。在煤气安全放散管上，应设隔断装置。

3 柜容指示器应符合下列规定：

1)柜容指示器应能连续显示煤气柜内的储气量，并能同时发出远传信号至操作值班室(或远程控制中心)的计算机。

2)机械式柜容指示器宜安装在煤气柜的第一层或第二层回廊上，安装高度和盘面尺寸应使操作室值班人员白天能清楚地看到数值。机械式柜容指示器前应安装照明灯。机械式柜容指示器刻度和指针宜采用荧光漆喷涂。

3)当受场地条件限制，操作室值班人员无法看到机械式柜容指示器时，应采用工业电视，将柜容指示器的盘面数值传送至操作值班室的计算机。

4 在活塞设计行程的最高位置处，应设煤气紧急放散管。

5 稀油柜的底层侧板上应至少设1个吹扫气体进口管和多个吹扫气体放散管。吹扫气体放散管的数量和位置应能保证将柜内气体吹扫干净。吹扫气体放散管的管口高度应高出站区地坪20m以上。吹扫气体管路上宜设闸阀。

6 稀油柜底层侧板上每隔30m，宜设1个底部油沟冲洗管。底部油沟冲洗管上应设闸阀和盲板。底部油沟分隔时，每个分隔段内应至少设1个底部油沟冲洗管。

7 稀油柜应设检修风机接管座。

8 稀油柜底层侧板和柜底板上应设柜底板排水管，其数量不宜少于2个，并宜沿周长均布。柜底板排水管路上应设阀门和水封，水封设计应符合现行国家标准《工业企业煤气安全规程》GB 6222的有关规定。

4.3 橡胶膜密封型煤气柜

4.3.1 当橡胶膜柜储存转炉煤气时，容积的确定应符合下列规定：

1　橡胶膜柜计算容积宜根据转炉煤气回收变动调节容量、转炉煤气突发剩余安全容量、因转炉停止回收作业需外供的煤气量及橡胶膜柜安全容量等因素综合确定；

2　橡胶膜柜公称容积系列宜按表 4.3.1 选取。

表 4.3.1　橡胶膜柜公称容积系列

橡胶膜柜公称容积 $V(10^4m^3)$								
1	2	3	5	8	10	12	15	20

4.3.2　橡胶膜柜的设计技术参数应符合下列规定：

1　橡胶膜柜的设计压力、设计温度和储存煤气的含尘量应按本规范表 4.1.3 的规定取值。当橡胶膜柜储存转炉煤气时，设计压力宜小于或等于 4kPa。

2　两段式橡胶膜柜的高径比宜取 0.8～0.9。

3　橡胶膜柜的立柱数量的选取应兼顾立柱间弧长和调平装置布置等因素，宜取 4、6 的倍数，且宜取偶数。

4　橡胶膜柜的立柱间弧长宜采用 5200mm～6100mm。

5　橡胶膜柜的活塞运行速度不宜大于 5m/min。

6　橡胶膜柜的活塞顶拱弦切角宜取 7°～11°，柜顶拱弦切角宜取 20°～31°。公称容积小于或等于 $80000m^3$ 时，宜取较小值；公称容积大于或等于 $80000m^3$ 时，宜取较大值。

7　柜体通风口有效通风面积和柜顶通风帽面积之和应与活塞的最大设计速度相适应。

8　煤气柜活塞触发紧急放散装置机械联锁后应预留保安高度。

4.3.3　橡胶膜柜结构设计应符合下列规定：

1　柜底板应由边环板和中央底板组成，并应符合下列规定：

1）中央底板应为拱形敷设，中央底板的厚度不宜小于 4.5mm；

2）边环板平铺并向柜外壁方向应设 1：60 的坡度，边环板厚度不宜小于 6mm；

3)柜底板采用搭接铺设,焊缝应为单面连续满角焊,搭接的宽度不应小于5倍板厚,且不应小于25mm。

2 筒体应由立柱、回廊、抗风桁架和带加劲角钢的侧板等组成的框式骨架与框内钢结构的组合体,并应符合下列规定:

1)筒体与柜顶组成的整体结构应能承受风载荷、雪荷载、地震荷载以及施工荷载等载荷的作用,同时还应计及活塞和日照产生的温差等因素对柜体产生的影响。

2)侧板可采用碳素结构钢板或低合金结构钢板。侧板的最小厚度应满足薄壳理论所计算出的厚度。

3)筒体密闭段上部侧板应设带挡雨罩的通风孔。

4)柜体顶部立柱与柜中心连线上靠近立柱处应设密封橡胶膜吊装孔,数量宜和立柱数相同。

3 柜顶宜采用加劲薄壳结构形式,并应符合下列规定:

1)柜顶框式骨架宜采用径向与环向加劲骨架的加劲球壳空间结构。

2)柜顶薄板厚度不宜小于4mm。

3)柜顶中央应设柜顶风帽。

4)柜顶应设防爆照明装置。

4 二段式橡胶膜柜的活塞系统应由活塞和T挡板组成,并应符合下列规定:

1)活塞应由活塞支架、箱形梁和拱形活塞板、环形支撑等组成。环形支撑外侧应布置波纹板,活塞支架和箱形梁设计应满足活塞的整体刚性。拱形活塞板的厚度不宜小于4.5mm,拱形的几何尺寸和柜底板应相同。

2)T挡板应由骨架和环形支撑组成的环状结构体,T挡板的顶部和底部应设撞击头,撞击头应沿圆周均布,其数量应为立柱数量的2倍。T挡板外侧应布置波纹板,内侧在与活塞橡胶膜接触的部位应为薄钢板。

3)T挡板下部应设T挡板支架,并应承载T挡板重量。

4)活塞上应设活塞临时支撑，应供球壳反面焊接和检修气柜，临时支撑的数量应满足安全承载活塞全部重量并保证活塞形状不变。

5 配重设计可按本规范第4.2.3条第5款的规定执行。

6 梯子、平台和栏杆的设计应符合下列规定：

1)活塞支架、T挡板上层走台内侧应设栏杆，内侧栏杆高度不应低于1100mm。

2)橡胶膜柜应设从地面到柜顶的外部走梯，外部走梯应与柜体每层回廊相连通。外部走梯可设在两个立柱之间柜体侧壁板上，并应设操作人员进出活塞和T挡板上部空间的侧板门。

3)栏杆梯子应符合现行国家标准《固定式钢梯及平台安全要求》GB 4053的有关规定。

4)梯子、平台和栏杆的设计除应符合本款第1项～第3项的规定外，还应符合本规范第4.2.3条第6款的有关规定。

4.3.4 橡胶膜柜密封装置应由一段封底槽钢、一段橡胶膜和二段封底槽钢、二段橡胶膜及密封件等组成，并应符合下列规定：

1 一段封底槽钢与T挡板内侧封底槽钢的垂直间距宜取360mm～370mm。

2 T挡板外侧封底槽钢与侧板内径的垂直间距宜取360mm～370mm。

3 橡胶膜应符合下列规定：

1)橡胶膜胶料选择应与储存气体介质种类相适应。煤气柜储存转炉煤气时，橡胶膜与煤气接触一侧的胶料宜采用丁腈橡胶或丁腈橡胶＋PVC，与空气接触一侧的胶料宜采用氯丁橡胶或氯丁橡胶＋PVC。橡胶膜圆筒应由幅宽1200mm～3000mm的单片橡胶膜粘接而成，橡胶膜筒上下端应粘接加强带。

2)橡胶膜厚度宜为$3^{+0.6}_{-0}$mm。

3)橡胶膜工作温度范围宜为$-45℃\sim90℃$。

4)橡胶膜的使用寿命不应小于8年。

5)橡胶膜的密封螺栓孔间距宜取59mm～61mm,孔径ϕ宜取13mm。开孔应均匀,水平相邻孔间距允许偏差应小于或等于±0.5mm,上下端相对应的孔应保证在同一垂线上,垂直允许偏差应小于或等于±0.5mm,并应消除累积误差。

6)橡胶膜圆筒上端应设橡胶膜安装用吊耳,数量应为立柱的2倍,并应沿圆周均布。

4 橡胶膜柜应设活塞水平测量装置。测量装置宜采用液柱标尺式,液体可采用水,寒冷地区冬季应加防冻液,安装位置应在调平钢丝与活塞连接点附近,并宜选正交4点在线检测活塞倾斜测量值。

4.3.5 橡胶膜柜应设对活塞倾斜自动校正功能的活塞调平装置,橡胶膜柜调平组数配置宜按表4.3.5选取。

表 4.3.5 橡胶膜柜调平组数配置

公称容积V (10^4m^3)	1	2	3	5	8	10	12	15	20
调平组数(组)	3或4	3或4	5	6	6	6	8或9	9	10

4.3.6 橡胶膜柜柜体上的工艺附属设施的设计应符合下列规定:

1 煤气进口管和出口管应符合下列规定:

1)在储存转炉煤气时,应设煤气进口管和煤气出口管。可按工艺要求设合成转炉煤气进口管和回流管,合成转炉煤气和回流可共用一根管。

2)煤气进口管的设计流量不应大于煤气柜活塞的最大吞吐量。

3)在煤气进口和出口管上应设隔断装置。

4)煤气进口和出口管的垂直管段上应有补偿措施。

2　橡胶膜柜应设自动(机械联锁)和手动安全放散装置。放散装置应由放散阀、机械自动联锁机构、涡轮式手摇绞车、煤气隔断装置、管道、滑轮组及钢丝绳等组成,并应符合下列规定:

1)自动安全放散装置可从柜体第一层回廊引出沿柜体向上敷设,放散装置管口距柜顶回廊的高度应大于4m;

2)煤气放散管的流通面积宜取煤气进口管流通面积的30%～40%;

3)放散装置的操作检修处应设操作平台。

3　橡胶膜柜应设带柜位发信装置的机械式柜容指示器和电子式柜容指示器,并应符合本规范第4.2.6条第3款的规定。

4　橡胶膜柜应设柜底自动排水器,柜底排水器的数量和排水管的排水能力宜根据煤气进口和出口温度、湿度、煤气流量,以及当地大气环境等条件进行确定,水封设计应符合现行国家标准《工业企业煤气安全规程》GB 6222 的有关规定。具体设置数量宜符合表4.3.6的规定。

表4.3.6　橡胶膜柜柜底自动排水器配置

公称容积(m^3)	$V\leqslant 10000$	$10000<V\leqslant 50000$	$50000<V\leqslant 150000$	$V>150000$
自动排水器(个)	2	2～4	4～6	8～10

5　橡胶膜柜应设检修风机接管座。

4.4　煤气柜构件表面处理与涂装

4.4.1　煤气柜构件表面处理应符合下列规定:

1　表面处理的工艺选择应计及下列因素:

1)被涂装构件的材质;

2)被涂装构件的表面锈蚀状态;

3)涂层的质量要求;

4)工艺的技术性和经济性。

2　涂漆前应将构件表面的铁锈、氧化皮、油脂、毛刺、焊渣、飞溅物、积尘、泥土等清除干净。

3 构件表面涂装不应使用带锈涂料代替除锈。

4 加工后的构件，应在验收合格后进行表面预处理。

5 经表面预处理后的构件，应及时涂装底漆、粘合膜等暂时保护。

4.4.2 煤气柜钢结构各部位的构件表面预处理应采用喷射法除锈，局部不宜采用喷射法除锈的部位可采用手工或动力工具除锈。除锈后的构件表面应符合现行国家标准《涂覆涂料前钢材表面处理 表面清洁度的目视评定》GB/T 8923 的有关规定。与大气直接接触的部位、与腐蚀介质直接接触的部位及采用无机富锌为底漆的部位，除锈等级不应低于 Sa2.5 级或 St3 级，其他部位除锈等级不应低于 Sa2 级或 St2.5 级；混凝土环梁的钢结构内表面可简单除锈。

4.4.3 煤气柜构件表面涂装应符合下列规定：

1 构件涂层结构应由底漆、中间漆及面漆组成，应配套使用，不得采用单一的品种作为防护涂层。

2 构件的防腐应根据煤气介质的特点和周围大气环境等情况确定各油漆的种类、涂刷道数和干膜厚度。

3 构件表面涂漆应符合下列规定：

1)与空气接触的侧板、立柱、活塞桁架、柜顶桁架等重要构件表面油漆应按底漆、中间漆和面漆分别涂刷，油漆种类、干膜厚度、道数应符合设计文件的有关规定。

2)与煤气接触的柜底板上表面、活塞底板下表面和活塞下侧板内表面除应根据煤气种类选择合适的底漆外，还应根据需要涂刷石油沥青或环氧煤沥青，油漆种类、干膜厚度、道数应符合设计文件的有关规定。

3)稀油柜活塞运行区域的侧板内侧表面不应涂漆，在侧板加工和除锈后应及时涂刷防锈油。

4)涂漆要求还应符合现行国家标准《工业设备及管道防腐蚀工程施工规范》GB 50726 和《工业设备及管道防腐蚀

工程施工质量验收规范》GB 50727 的有关规定。

4.4.4 煤气柜面漆颜色应符合设计文件或合同的有关规定。煤气柜整体防腐年限不应小于5年。

4.5 煤气柜试验与验收

4.5.1 煤气柜的验收应分中间验收和最终验收阶段。中间验收应在煤气柜安装过程中进行，应对煤气柜基础尺寸、构件加工偏差、柜体安装精度和焊接质量等检查和验收。最终验收应在煤气柜安装结束后、投运前进行，应对煤气柜整体质量考核和验收。

4.5.2 煤气柜的质量要求除应符合现行国家标准《钢结构工程施工质量验收规范》GB 50205 等的有关规定外，还应符合本规范附录E、附录F、附录G的有关规定。

4.5.3 煤气柜安装完毕后应进行整体泄漏性试验，试验介质应采用空气。整体泄漏性试验应符合下列规定：

1 活塞升至公称容积80%～90%的位置，可靠切断与煤气柜本体相关的外部接口，确认无外部泄漏点。以静置1d后的柜内空气标准容积为起始点容积，以再静置7d后的柜内空气标准容积为结束点容积，起始点容积与结束点容积相比，泄漏率不应大于2%为合格。

2 泄漏率可采用下列公式进行计算：

$$A=\frac{V_{0初}-V_{0终}}{V_{0初}}\times 100\% \tag{4.5.3-1}$$

$$V_0=V_t\times\frac{273.15\times(B-P_{分}+P)}{101.32\times(273.15+t)} \tag{4.5.3-2}$$

式中：A——泄漏率(%)；

$V_{0初}$——试验开始时的干空气标准状态下的容积(m^3)；

$V_{0终}$——试验结束时的干空气标准状态下的容积(m^3)；

V_t——在大气压力为B(kPa)和平均温度为t℃时测量的储

气容积(m^3);

B——测量时煤气柜中部的大气压力(kPa);

$P_{分}$——平均温度为t℃时的水蒸气分压(kPa);

P——测量时煤气柜内的空气压力(kPa);

t——测量时煤气柜的平均温度(℃)。

3 煤气柜在静置7d试验期内,应每天测定一次,并应选择日出前的同一时刻、大气温度变化不大的情况下进行测定。如遇暴风雨等温度波动较大的天气时,测定工作应顺延。

5 煤气净化

5.1 一般规定

5.1.1 高炉煤气净化系统的设计可采用湿法净化系统或干法净化系统。湿法净化系统的设计应符合本规范第5.1和5.2节的有关规定，干法净化系统的设计应符合现行国家标准《高炉煤气干法袋式除尘设计规范》GB 50505的有关规定。

5.1.2 焦炉煤气净化系统应为工业用焦炉煤气的二次净化系统。焦炉煤气净化系统可采用两段串联塔式全干法净化工艺、常压氧化铁法脱硫工艺和溶剂常压吸收法脱萘等净化工艺。采用干法工艺的脱硫、脱萘塔塔体内壁应涂防腐层。脱硫、脱萘剂再生的废气应经过处理后外排或进入原料气。

5.1.3 转炉煤气净化系统的设计可采用湿法净化系统或干法净化系统。湿法二次净化系统的设计应符合本规范第5.4节的有关规定，湿法一次净化系统和干法净化系统的设计应符合现行行业标准《钢铁工业除尘工程技术规范》HJ 435等的有关规定。

5.1.4 煤气净化系统的设计应根据用户对煤气质量要求，选用合适的煤气净化工艺和设施。

5.1.5 净化后的煤气含尘量应小于或等于$10mg/m^3$，机械水含量宜小于或等于$10g/m^3$。

5.1.6 煤气净化塔的壁厚宜采用煤气爆炸压力进行壁厚校核，校核的许用应力宜取材料的$0.8\sigma_s$。

5.1.7 煤气净化系统供水主管严禁与净化系统无关的用户相接。

5.1.8 采用蒸汽进行吹扫、再生的设备，应有防止造成设备负压或失稳的措施。

5.1.9 煤气净化区域内宜设煤气泄漏报警装置，煤气泄漏报警装置的设计应符合现行国家标准《石油化工可燃气体和有毒气体检测报警设计规范》GB 50493 的有关规定。

5.1.10 煤气净化系统的设计除应符合本规范的规定外，还应符合现行国家标准《工业企业煤气安全规程》GB 6222 的有关规定。

5.2 高炉煤气净化

5.2.1 高炉煤气洗涤塔应靠近重力除尘器等粗煤气除尘设施布置。

5.2.2 高炉煤气洗涤塔、高压侧脱水器和液位控制罐等设备的计算压力不应小于其最高工作压力。高炉煤气管道的计算压力、设计压力和试验压力应按现行国家标准《工业企业煤气安全规程》GB 6222 的有关规定执行，并应符合下列规定：

1 高炉煤气洗涤塔、高压侧脱水器和液位控制罐等设备泄漏性试验压力应为炉顶工作压力的 1.0 倍，低压侧脱水器等设备泄漏性试验压力应为 50kPa；

2 从高炉煤气净化区域内减压阀组后 300m 以内的净煤气管道的各类水封设施的有效高度不应小于 4000mm。

5.2.3 高炉煤气净化系统半净煤气管道、清洗设备出口管道顶部放散管的切断装置，宜为锥形放散阀，锥形放散阀应设检修平台，锥形放散阀的驱动方式宜为卷扬操作或液压驱动。锥形放散阀阀盖需平衡的煤气计算压力应符合本规范第 5.2.2 条的规定。

5.2.4 半净煤气管道内宜设厚度为 50mm～70mm 的耐火泥或喷涂料内衬，并应采用金属锚固件固定。锚固件的焊接应在制作管道的同时制作。管道内设计工况流速宜为 15m/s～20m/s。对不采用内衬的半净煤气管道应采取提高管道材质耐磨性或增加管道壁厚等措施。

5.2.5 高炉煤气净化系统入口半净煤气含尘量不应大于 $10g/m^3$。

5.2.6 净化后的煤气主管应设压力、温度及流量等的在线检测装置，并应有煤气含尘、机械水、化学成分的分析取样接头。

5.2.7 高炉煤气净化系统设有旁通阀组或减压阀组旁路时，阀组结构形式应采取消除涡流和振动的措施，阀组安装用补偿器的推力不得传至管系上，减压阀组平台的安全通道不应少于两个。减压阀组安装支座宜设减振器，且宜采取降噪措施。

5.2.8 高炉煤气净化系统洗涤塔、脱水器筒体及管网的吹扫宜采用氮气，大型高炉宜设置换用风机。

5.2.9 高炉煤气净化系统应设煤气管理设施和生产辅助设施。

5.2.10 高炉煤气净化区域的供水总管上宜设自冲洗过滤器和流量、温度、压力检测装置及低压报警装置，信号应传至煤气管理室。

5.2.11 高炉煤气净化系统给水温度宜小于35℃，夏季最高给水温度应低于40℃，水中悬浮物含量应低于200mg/L，悬浮物或沙粒直径应小于2mm，pH值宜为7.5～8.0。

5.2.12 高炉煤气洗涤塔、文氏管各层喷嘴的供水主管道上，应设置止回阀和切断阀。

5.2.13 设有内循环泵组的环形缝隙洗涤塔系统，泵组及管系的设计、制作，应符合下列规定：

1 内循环泵应为一用一备，泵的选型宜为渣浆防气蚀的离心泵；

2 循环泵所配电机应满足直接启动和适应频繁启停的工况条件；

3 内循环供水管系设计应采取防止管道气阻的排气措施。

5.2.14 高炉煤气洗涤塔和脱水器等设备的通道及操作平台、通道净空宽度不宜小于800mm，通道和平台宜采用不易积灰的格栅板结构。洗涤塔框架立柱和平台的设计不应影响环隙元件或文氏管喉口椭圆调节阀的检修和吊装。

5.2.15 当高炉煤气净化系统设备法兰公称直径超出法兰标准规格时，非标法兰设计应符合下列规定：

1 法兰设计可按现行国家标准《压力容器》GB 150 的有关规定或分析设计的方法进行。

2 法兰材质性能应高于或等于钢号Q235－B的要求；材料金属工作温度大于或等于100℃、工作压力大于或等于0.1MPa的法兰材质的许用应力，应符合压力—温度等级表；工作压力为0.01MPa～0.25MPa的法兰可按设计压力等于0.25MPa选取；工作压力高于0.25MPa的法兰设计压力不应低于最高工作压力。

3 非圆形法兰的设计和计算可按现行行业标准《钢制化工容器强度计算规定》HG/T 20582的有关规定执行。

5.2.16 寒冷地区煤气净化系统的液位控制罐、排水密封罐等设施，宜采取伴热或保温等防冻措施。

5.2.17 采用环形缝隙洗涤系统时，环隙元件阀锥的导向轴承与文氏管的固定，以及按紧密公差技术要求进行的对中，应在制造工厂中完成，运抵现场后配合洗涤塔的施工应进行整体吊装。

5.2.18 高炉煤气清洗系统的排水宜采用高架溜槽排水。

5.2.19 高炉煤气清洗系统的主要设备应根据工况条件采取内外防腐和局部隔热处理措施。

5.2.20 采用环形缝隙洗涤系统时，环隙元件的运行应控制高炉的炉顶压力波动值在±5kPa范围内。

5.3 焦炉煤气净化

5.3.1 两段串联塔式全干法净化工艺中脱硫塔的设计，应符合下列规定：

1 来源焦炉煤气焦油含量大于50mg/m^{3}时，两段串联塔式全干法净化工艺前宜设电捕焦油器。

2 脱硫塔的填料层应采用复合床层，下部应为焦炭，上部应为脱硫剂。

3 焦炉煤气通过脱硫塔的空塔流速宜取0.1m/s～0.3m/s。脱硫塔的空塔气体流速应根据焦炉煤气中硫化氢含量和硫化氢的净化度等要求进行选取。当焦炉煤气中硫化氢含量大于500mg/m^{3}以上时，空塔气体流速应小于或等于0.1m/s。

4 脱硫剂工作硫容不宜低于20%（wt）。脱硫剂工作硫容应根据焦炉煤气中硫化氢含量高低和硫化氢的净化度等要求进行选取。

5 脱硫剂在脱硫塔中应分层装填，每层高度应为2.5m～3.5m，层数宜为2层～4层。

6 单个脱硫塔的压降宜控制在0.2kPa～1.0kPa范围内。

7 脱硫工序脱硫塔数量不宜小于2座。

8 脱硫塔的进气方式宜为切向进气或设气流分布装置，宜采用下进上出。

9 脱硫塔的进口和出口管道应设隔断装置。

10 脱硫塔的进口和出口宜设氮气管和放散管。

11 脱硫塔塔体应至少设1个测温口。脱硫塔的进口和出口接管应设压力和温度检测口。

12 脱硫塔塔体应设填料装、卸口。

13 脱硫塔的顶部和装、卸口位置应设操作平台。

14 脱硫塔操作温度可取10℃～55℃，每个脱硫塔应设蒸汽注入装置，寒冷地区的脱硫设备应有保温措施。

15 脱硫塔应设煤气安全泄爆装置。

5.3.2 两段串联塔式全干法净化工艺中吸附塔的设计，应符合下列规定：

1 吸附塔的填料层应为多种吸附剂的复合床层。

2 吸附塔的空塔气体流速应根据焦炉煤气中需净化的杂质含量、净化度要求和选取的净化工艺不同等因素进行选取。采用TSA工艺时，空塔气流速度宜取0.1m/s～0.4m/s。采用PSA工艺时，空塔气速宜取0.5m/s～0.7m/s。

3 吸附剂在吸附塔中的装填高度应根据杂质的净化度要求确定。单个吸附塔的压降宜为1.0kPa～2.0kPa。

4 吸附剂的吸附温度宜选择为－19℃～60℃。吸附剂的再生工艺在使用TSA工艺时再生温度应达到110℃～150℃。在使用 PSA 工艺时,应使用常温载气或抽真空再生。

5 TSA 再生气源宜采用净化煤气或低压蒸汽,PSA 工艺的再生气源宜采用净化煤气或粗氢。

6 TSA 或 PSA 工序中吸附塔的数量不应少于 2 座。

7 吸附塔的进气方式宜为下进上出,进气口宜设气流分布装置。

8 吸附塔的进口和出口管道应设隔断装置。

9 吸附塔的进口和出口管道宜设氮气吹扫管和放散管。

10 TSA 吸附塔本体应至少设 1 个测温口。

11 吸附塔的进口和出口管道应设压力和温度检测点。

12 吸附塔应设填料装、卸口。

13 吸附塔的顶部和装、卸口位置应设操作平台。

14 TSA 吸附塔及进出管道应有保温措施。

15 吸附塔应设煤气安全泄爆装置。

5.3.3 常压氧化铁法脱硫工艺的设计,应符合下列规定:

1 焦炉煤气脱硫剂宜选择成型脱硫剂,也可选用藻铁矿、钢厂赤泥、铸铁屑或与铸铁屑有同样性能的铁屑,并应符合下列规定:

1)藻铁矿脱硫剂中活性氧化铁含量宜大于 15%。当采用铸铁屑或铁屑时,应经氧化处理。

2)配制脱硫剂的疏松剂宜采用木屑。

2 常压氧化铁法脱硫设备可采用箱式或塔式。

3 常压氧化铁法的设计参数应符合下列规定:

1)煤气通过脱硫设备的流速宜取 7mm/s~11mm/s。当进口煤气中硫化氢含量小于 1.0g/m^{3}时,流速可适当提高。

2)煤气与脱硫剂的接触时间宜取 130s~200s。当进口煤气中硫化氢含量小于 1.0g/m^{3}时,接触时间可适当缩短。

3)每层脱硫剂厚度宜取 0.3m~0.8m。

4)箱式脱硫剂层数宜为 3 层~4 层,塔式脱硫剂层数宜为 8 层~14 层。

5)脱硫剂需用量不应小于下式的计算值：

$$V=\frac{1637\sqrt{C_S}}{f\cdot\rho} \tag{5.3.3}$$

式中：V——每小时1000m^3煤气所需脱硫剂容积(m^3)；

C_S——煤气中硫化氢含量(体积分数)(%)；

f——新脱硫剂中活性氧化铁含量，可取15%～20%；

ρ——新脱硫剂密度。当采用藻铁矿或铸铁屑脱硫剂时，可取0.8t/m^3～0.9t/m^3。

6)脱硫设备的操作温度宜取25℃～35℃，每个脱硫设备应设蒸汽注入装置，寒冷地区的脱硫设备应有保温措施。

7)单个脱硫设备的阻力应小于1.5kPa。

8)脱硫设备布置不宜多于2组，每组设备数量不宜大于5座，每组应另设备用设备1座。

9)煤气管道布置应能使煤气流向可以由前向后、由后向前或依次向后轮换操作。

10)脱硫剂再生宜取离线再生。

11)脱硫设备应设煤气安全泄爆装置。

4 脱硫箱宜采用高架式。

5 脱硫剂的装卸宜采用机械设备。

6 工艺区域附近应设配制和更换脱硫剂的场地，场地应采用混凝土地坪。

5.3.4 溶剂常压吸收法脱萘工艺的设计应符合下列规定：

1 洗萘溶剂宜采用直馏轻柴油或低萘焦油洗油。

2 洗萘塔宜采用填料塔，可不设备用。

3 洗萘塔宜分为循环溶剂喷淋段和新鲜溶剂喷淋段；新鲜溶剂喷淋段宜设定时定量控制装置，喷洒制度宜取每20min喷15s。

4 进洗萘塔煤气温度应为常温，循环溶剂及新鲜溶剂温度应高于煤气温度3℃。

5 当进入洗萘塔的煤气中含萘量小于400mg/m^3和温度低

于30℃时，洗萘塔的设计参数应符合下列规定：

1)煤气的空塔流速应取0.65m/s～0.75m/s；

2)吸收面积应大于0.35m^2/(m^3·h)(煤气)；

3)洗萘塔阻力应小于1kPa。

6 洗萘油槽宜设间接蒸汽加热器。

7 洗萘塔应设蒸汽吹扫口、排污口。

8 外排柴油的最大含萘量应小于与进口煤气含萘相平衡的柴油含萘量，宜取4%。

5.4 转炉煤气净化

5.4.1 对一次除尘采用湿法净化工艺的转炉煤气应进行二次净化。二次净化工艺应采用湿式电除尘工艺。

5.4.2 转炉煤气电除尘净化工艺设计应符合下列规定：

1 电除尘净化设备应露天布置；

2 电除尘器数量不宜少于两台，并应并联布置；

3 电除尘器进口和出口管道应分别设隔断装置；

4 电除尘器进口应设氧含量连续检测装置，当转炉煤气氧含量大于或等于1%时，应自动切断高压电源；

5 电除尘器本体应设放散管及泄爆装置；

6 电除尘器冲洗给水总管应设低压报警信号，且给水管上应设U型管和逆止阀；

7 电除尘器绝缘子箱温度应设低位和高位报警信号；

8 电除尘器绝缘子箱应设氮气密封装置。

5.4.3 电除尘器设计参数应符合下列规定：

1 电除尘器压力降宜小于0.5kPa；

2 除尘后的煤气含尘量应小于10mg/m^3。

6 煤气混合站

6.0.1 煤气混合站应结合企业煤气平衡确定的用户对煤气压力、热值的要求及煤气管网的运行压力和总图布置进行设计。

6.0.2 煤气混合的调节系统应采用流量配比调节系统或热值指数调节系统。

6.0.3 当混合站由两种煤气混合时,混合煤气的体积百分率可按下列公式计算:

$$v_1=\frac{H_M-H_2}{H_1-H_2}\times 100\% \tag{6.0.3-1}$$

$$v_2=\frac{H_1-H_M}{H_1-H_2}\times 100\% \tag{6.0.3-2}$$

式中:H_1——第一种煤气的低位发热量(kJ/m^3);

H_2——第二种煤气的低位发热量(kJ/m^3);

H_M——混合煤气的低位发热量(kJ/m^3);

v_1——第一种煤气的体积百分率(%);

v_2——第二种煤气的体积百分率(%)。

6.0.4 当混合站由两种煤气混合时,混合煤气的发热量百分率可按下列公式计算:

$$h_1=\frac{H_M-H_2}{H_1-H_2}\times\frac{H_1}{H_M}\times 100\% \tag{6.0.4-1}$$

$$h_2=\frac{H_1-H_M}{H_1-H_2}\times\frac{H_2}{H_M}\times 100\% \tag{6.0.4-2}$$

式中:h_1——第一种煤气的发热量百分率(%);

h_2——第二种煤气的发热量百分率(%)。

6.0.5 当混合站由三种煤气混合时,计算混合体积百分率可先将两种煤气混合到一定的发热量,然后再与第三种煤气混合。采用固定一种煤气流量计算另外两种煤气的比例时，混合煤气发热量百分率可按下列公式计算：

$$y_1=\frac{x_1 H_1}{H_M}\times 100\% \tag{6.0.5-1}$$

$$y_2=\frac{x_2 H_2}{H_M}\times 100\% \tag{6.0.5-2}$$

$$y_3=[100-(y_1+y_2)]\times 100\% \tag{6.0.5-3}$$

式中：y_1——第一种煤气的发热量百分率（%）；

y_2——第二种煤气的发热量百分率（%）；

y_3——第三种煤气的发热量百分率（%）；

x_1——第一种煤气在混合煤气中的体积百分率（%）；

x_2——第二种煤气在混合煤气中的体积百分率（%）。

6.0.6 煤气的混合方式宜采用两管斜插式，混入角 θ 宜为 30°～45°。当反馈测点距离较近时宜设混合器。

6.0.7 混合前煤气管道的长度宜根据流量检测和调节装置所要求的安装长度确定。管道布置宜满足附属设备的合理装设及操作、检修要求。

6.0.8 煤气混合站的流量检测装置和调节装置的设计参数及混合单元的数量，宜按正常生产条件下煤气的小时最大流量和最小流量确定，同时还应满足投产初期煤气小流量时和正常运行时流量变化的要求。

6.0.9 当用户对煤气热值偏差要求较高，且用户煤气最小用量与最大用量之比小于 0.3 时，宜设两套煤气混合装置，其中一套煤气混合装置宜按用户最大用量的 40%选取，另一套混合装置宜按用户最大用量的 60%选取。

6.0.10 煤气混合站的压力降不宜大于 1kPa。

6.0.11 混合煤气压力在运行中应保持正压，并应有防止煤气互串的措施。

6.0.12 煤气混合站中的煤气管道宜采用并排布置，其水平净距不宜小于 800mm。引入混合站的煤气管道起始端应设隔断装置。

6.0.13 混合煤气总管上应设混合煤气取样管。取样管的安装位置与两根混合管道汇交口的距离不宜小于混合煤气管道直径的 10 倍～15 倍;设有混合器时距离可适当缩短。当混合站后设有加压站且为集中布置时,取样管宜设在加压机出口总管上。

6.0.14 混合煤气热值的波动范围应满足用户要求。

6.0.15 煤气混合站的管道设计应设排水器及管道补偿措施。

6.0.16 煤气混合站的设计应符合现行国家标准《工业企业煤气安全规程》GB 6222 的有关规定。

7　煤气加压站

7.0.1　煤气加压站可设区域性加压站或全厂性加压站，煤气大用户宜设独立加压站。

7.0.2　加压站煤气流量的确定，应符合下列规定：

1　对单一用户的加压站，平均流量和最大流量宜分别选取用户的平均用量和最大用量；

2　对区域性或全厂性加压站，平均流量宜取各用户平均用量之和，最大流量不宜大于平均流量的1.3倍。

7.0.3　加压机的升压能力可按下式计算：

$$\Delta P = P_1 + \Delta P_1 + \Delta P_2 - P_2 \tag{7.0.3}$$

式中：ΔP——加压机的升压能力（kPa）；

P_1——用户接点处的煤气压力（kPa）；

ΔP_1——由加压站至用户接点处煤气管道的压力降（kPa）；

ΔP_2——加压站内的压力降，取0.3kPa～0.5kPa；

P_2——加压机入口煤气压力（kPa）。

7.0.4　加压站进口煤气主管应设煤气低压报警检测和低压联锁停车的保护措施。

7.0.5　加压机进口管道宜设收缩管，出口管道宜设扩张管。进口和出口管道弯头宜采用90°导向弯头。

7.0.6　加压机单机容量的配置应根据用户适用煤气的特点和企业分期建设规模等因素进行选择，宜为2台～3台运行。加压机应设整机备用，工作台数为1台～3台时，应备用1台；工作台数为4台～6台时，宜备用2台。

7.0.7　加压机应选择节能环保型，应使工作点在加压机最稳定和最佳效率范围内，并应兼顾加压机性能的偏差以及并车系数。

7.0.8 并联运行的煤气加压机宜采用相同型号。加压机工作台数为1台～3台时，并车系数宜为0.9～1；加压机工作台数为4台～6台时，并车系数宜为0.85～0.95。

7.0.9 每台加压机进口和出口管道上应设隔断装置。每台加压机进口管道上宜设流量调节装置，单机进口和出口管道间宜设小回流管。加压站站区进口和出口主管间宜设大回流管，大回流管装设的位置应使煤气回流途径在站区范围内最长；当加压机台数较多时，宜设于总管的一端。

7.0.10 加压机厂房内应设检修起重机和机组检修空间，加压机宜单列布置，主要通道不宜小于2m，次要通道不宜小于1.5m。

7.0.11 加压机进口和出口管道上应设吹扫接头及放散管等设施。

7.0.12 进口和出口煤气管道对机组的作用力和弯矩不应大于设备的允许值。

7.0.13 加压机密封可采用氮气密封或机械密封，氮气压力应满足加压机的密封要求，纯度不应小于99.9%。氮气密封系统的设定压力应作为加压机的启动条件。

7.0.14 加压机的冷却水宜采用闭路循环。站区冷却水供水主管压力应设低压报警。

7.0.15 加压机的润滑油系统应符合下列规定：

1 润滑油应满足设备运行安全的质量要求；

2 润滑油站可根据设备要求设高位油箱，油站宜采用撬装式；

3 润滑油系统的油温、远端油压、油箱油位应作为加压机的启动条件；

4 油站油冷却器的油侧压力应高于冷却水压力；

5 润滑油站的供油管道和管件宜采用不锈钢材质；

6 回油管道流向油箱的坡度不宜小于0.04；

7 润滑油箱顶部宜设油雾抽气机，油雾排放管应设油雾收集器。

7.0.16 煤气压缩站的规模应根据用户用量、用点压力以及进站煤气压力等工艺条件进行确定。

7.0.17 压缩机应根据工作环境和气候条件选择露天布置或室内布置，宜采用整体撬装设备。室内布置时，应符合本规范第7.0.10条的规定。

7.0.18 压缩机型号宜采用相同型号，并宜设整机备用。多台并联运行的压缩机单台排气量宜按公称容积流量的80％～85％进行计算。

7.0.19 进入压缩机的煤气含尘量不宜大于5mg/m³，微尘直径应小于10μm且煤气质量还应符合选用压缩机的有关要求。

7.0.20 压缩机进口和出口管道上应设隔断装置、吹扫接头及放散管等设施。出口管道上还应设止回阀，宜设安全阀。

7.0.21 压缩站进口煤气主管应设煤气低压报警检测和低压联锁停车的保护措施。

7.0.22 压缩机密封可采用氮气密封或机械密封，氮气压力应满足加压机的密封要求，纯度不应小于99.9％。

7.0.23 压缩机应设自动和手动停车装置，各级排气温度大于限定值时应报警并人工停车。发生下列情况之一时，应报警并联锁自动停车：

1 各级吸、排气压力不符合规定值；

2 冷却水压力和温度不符合规定值；

3 润滑油压力、温度和油箱液位不符合规定值；

4 压缩机电机过载；

5 密封氮气压力不符合规定值。

7.0.24 压缩机排出的冷凝液应收集并进行集中处理，不得直接排放。

7.0.25 加压机房或压缩机房毗邻而建的控制室隔墙应为防火墙，且隔墙上不得开设门窗和孔洞，防火墙的耐火极限不应低于3.00h。

7.0.26 煤气加压站和压缩站的设计还应符合现行国家标准《工业企业煤气安全规程》GB 6222的有关规定。

8 煤气管道

8.1 一般规定

8.1.1 煤气管道材质应采用碳素钢或低合金钢。

8.1.2 煤气管道应采用对焊连接。确有困难时,可采用搭接板连接。

8.1.3 煤气管道与设备及附件的连接可采用焊接、法兰或螺纹连接。不经常更换、拆卸的附件宜采用焊接。

8.1.4 公称直径大于或等于 800mm 的煤气管道应采用双面焊,公称直径小于 800mm 的煤气管道可采用单面焊。

8.1.5 煤气管道宜采用焊接钢管。钢板卷管的最小公称直径宜大于或等于 350mm。

8.1.6 架空煤气管道的支架应采用混凝土或钢质等非燃烧体材料制造。

8.1.7 煤气管道支管宜从主管固定支架附近引出。与煤气管道共架的其他管道的固定点宜设在煤气管道的固定支架处。

8.1.8 煤气管道应采用自然补偿。当自然补偿无法满足时,可采用补偿器补偿。煤气管道不应选用填料型补偿器,宜采用液压一次成型的金属波纹管型补偿器。当煤气冷凝水中氯离子含量大于 25mg/L 时,金属补偿器应采取耐氯离子腐蚀措施。

8.1.9 在煤气管道隔断装置处、管道末端处及 U 型水封前后,均应设煤气放散管,且放散管处应设取样管。室外煤气管道上的放散管管口高度应高出操作平台 4m,且距离地面不应小于 10m。距厂房 20m 以内的煤气管道和室内煤气管道上的放散管管口高度应高出房顶 4m。当厂房很高且放散管不经常使用时,其管口高度可适当降低,但应高出煤气管道、设备和走台 4m。

8.1.10 有冷凝水析出的煤气管道应设冷凝水排出器。无坡度敷设的煤气主干管道排水器的距离宜为100m～150m,有坡度敷设的煤气管道低点应设排水器。

8.1.11 煤气管道排水器水封的有效高度应取煤气计算压力加5kPa与煤气计算压力1.2倍的最大值,且不得小于30kPa。

8.1.12 架空煤气管道公称直径大于或等于1400mm时,宜设加固筋,加固筋宜设在煤气管道支架附近,中间部位宜根据实际需要设置。

8.1.13 敷设在煤气管道上方的其他管道托架应焊于加固筋或弧形垫板上。

8.1.14 在架空煤气管道上的阀门、检查孔、取样口、吹扫口及计量装置等处,应设操作平台。

8.1.15 架空煤气管道靠近高温热源或在管道下方有装载炽热物件的车辆经过时,应采取隔热措施。

8.1.16 架空煤气管道穿过与其相关的建筑物的墙壁或楼板时,应设套管。管道与套管间应采用不燃材料填塞。套管伸出长度不应小于100mm。

8.1.17 地下煤气管道在穿越铁路、公路、隧道及综合管沟时,应设套管,并应符合下列规定:

1 套管宜采用钢管或钢筋混凝土管;

2 套管两端应采用柔性的防腐、防水和非燃烧体材料密封;

3 套管内径应大于煤气管道外径100mm及以上;

4 与铁路和道路交叉的煤气管道应敷设在套管中,防护套管两端伸出部分,距铁路边轨不应少于3.0m,距有轨电车边轨和距道路路肩不应少于2.0m;

5 当铁路、道路边设有排水边沟时,防护套管应伸出沟外1.0m;

6 当穿越隧道及综合管沟时,防护套管应伸出隧道外壁或沟外壁0.2m。

8.1.18 地下煤气管道上的检测装置、法兰、排水器及阀门等处,应设防护罩及防护井。

8.1.19 地下煤气管道排水器、阀门及转弯处，应在地面上设明显标志。

8.1.20 煤气管道的设计寿命应符合设计文件或合同规定。

8.1.21 与煤气管道无关的水管、热力管与电缆等不应穿过或敷设于煤气管道支架基础中。

8.1.22 煤气管道支架可分固定支架和滑动支架。支架设计应按现行国家标准《钢铁企业管道支架设计规范》GB 50709 的有关规定执行。

8.1.23 属于压力管道的煤气管道设计，还应符合现行国家标准《压力管道规范　工业管道》GB/T 20801 的有关规定。

8.2 管道布置

8.2.1 煤气管道应根据企业总体规划和技术经济的合理性进行布置。

8.2.2 煤气管道的主干线布置应通过用户密集区并靠近用气负荷较大的用户。

8.2.3 煤气管道的布置应符合安全间距、生产操作、安装及维护的规定。

8.2.4 煤气管道的布置宜沿道路两侧并与道路平行敷设，且应避开低洼和回填土区域。

8.2.5 煤气管道应采用架空敷设。架空确有困难时，可埋地敷设，但应符合本规范第 8.1.17 条～第 8.1.19 条的规定。

8.2.6 一氧化碳含量大于 10%的煤气管道严禁埋地敷设。

8.2.7 在现有煤气管道和支架上增设管道时，应经过设计计算，并取得煤气主管单位的同意。

8.2.8 新建煤气管道宜采用无坡度敷设。在现有的煤气管廊上增设煤气管道时，可保持原有坡度敷设。

8.2.9 架空煤气管道不应跨越燃料或木材仓库、民用建筑、重要公共建筑以及与煤气生产、使用无关的工业建筑，并不应在输电线路下方平行敷设。当车间建筑物耐火等级不低于二级时，与其生产或使用有关的煤气管道可沿该建筑物外墙或屋顶上敷设。

8.2.10 煤气管道不应敷设在存放易燃、易爆物品的堆场和仓库区内，并应避开腐蚀性较强的生产、贮存和装卸设施，不得穿过与其无关的建(构)筑物、生产装置及储罐区等。

8.2.11 煤气管道与铁路、道路之间应减少交叉。当必须交叉时，交叉角度不宜小于45°，多根管道宜集中交叉。

8.2.12 架空煤气管道与其他管道并行时，宜共架敷设。架空煤气管道与同一支架上平行敷设的其他管道的最小并行净距，应符合表8.2.12规定，并应符合下列规定：

1 煤气管道与水管道、热力管道、燃油管道和不燃气体管道在同一支柱或栈桥上敷设时，其上下敷设的垂直净距不宜小于250mm；

2 与输送腐蚀性介质的管道共架敷设时，煤气管道应架设在上方；

3 与氧气和乙炔气管道共架敷设时，应符合现行国家标准《深度冷冻法生产氧气及相关气体安全技术规程》GB 16912和《乙炔站设计规范》GB 50031的有关规定；

4 油管道和氧气管道宜分别敷设在煤气管道的两侧；

5 与煤气管道共架敷设的其他管道的操作装置，应避开煤气管道法兰、盲板和盲板阀等易泄漏煤气的部位。

表8.2.12 架空煤气管道与同一支架上平行敷设的其他管道的最小并行净距

名称		煤气管道公称直径(mm)		
		＜300	300～600	＞600
其他管道公称直径(mm)	＜300	100	150	150
	300～600	150	150	200
	＞600	150	200	300

8.2.13 架空煤气管道与建(构)筑物、铁路、道路和相邻管道的最小水平净距,应符合表8.2.13的规定,并应符合下列规定:

1 与煤气管道配套的阀门液压站(室)、煤气分析仪室和煤气冷却喷雾泵房等附属设施可根据工艺要求进行布置。

2 煤气管道和支架上不应敷设动力电缆和电线,但供煤气管道使用的动力电缆(380V及以下)和信号电缆除外。煤气管道专用电缆应避开煤气管道法兰、盲板和盲板阀等易泄漏煤气的部位。

3 架空电力线路与煤气管道的水平距离,应计及导线的最大风偏。

4 焦化厂内的煤气管道与电缆桥架的净距应符合现行国家标准《焦化安全规程》GB 12710的有关规定。

表8.2.13 架空煤气管道与建(构)筑物、铁路、道路和相邻管道的最小水平净距

名称		最小水平净距(m)	
		一般情况	特殊情况
房屋建筑		5.0	3.0
铁路(距最近边轨外侧)		3.0	2.0
道路(距路肩)		1.5	0.5
架空电力线路外侧边缘	1kV以下	1.5	—
	1kV～20kV	3.0	—
	35kV～110kV	4.0	—
绝缘电缆(无套管)		1.2	—
电缆套管、桥架或电缆沟		1.0	—
其他埋地敷设管道		1.5	—

续表 8.2.13

名　称	最小水平净距(m)	
	一般情况	特殊情况
熔化金属,熔渣出口及其他火源	10.0	5.0
熔化金属铁路运输线		
煤气管道	0.6	0.3
皮带通廊边缘	3.0	—

注:1 房屋建筑系指与煤气无关的建筑物。但当同时满足下列条件时,煤气管道可沿建筑物外墙敷设:

1)建筑物(办公楼、食堂、浴室和高低压配电房除外)火灾类别为丁、戊类;

2)建筑物耐火等级不低于二级;

3)建筑物外缘 2m 范围以内的管道焊缝 100%射线检测;

4)无煤气管道附属设施等可能的泄漏点。

2 特殊情况下的数值指受地形限制,经与有关部门协商,已采取有效防护措施后采用的数值。

3 表中架空煤气管道指有落地支架支撑的室外架空煤气管道。

4 架空煤气管道与建(构)筑物、铁路、道路和相邻管道间的最小水平净距指煤气管道外壁或煤气管道法兰的外缘。

5 埋地管道、埋地电缆(套管)、沟指其外壁与煤气管道支架基础外缘间的距离。

8.2.14 架空煤气管道与建(构)筑物、铁路、道路和其他管线交叉的最小垂直净距,应符合表 8.2.14 的规定,并应符合下列规定:

1 高炉煤气净化区域的输送管道、减压阀组与消音器距地面净距不应低于 6m。当减压阀组后盲板阀为封闭型时,减压阀组、消音器及隔断装置距地面净距可适当降低。

2 位于人行区域设有敞开式盲板阀与盲板时,其距地面净距不应低于 6m。

3 高炉煤气余压发电区域隔断装置处煤气管道高度应符合现行国家标准《煤气余压发电装置技术规范》GB 50584 的有关规定。

表 8.2.14 架空煤气管道与建(构)筑物、铁路、道路和其他管线交叉的最小垂直净距

名称		最小垂直净距(m)	
		管道下	管道上
铁路	标准轨轨顶	6.0	—
	窄轨轨顶	4.9	—
车行道路地坪		5.0	—
人行道路地坪		2.5	—
高炉煤气净化区地坪		6.0	—
非车行和人行区域地坪		0.3	—
相关建筑物屋顶		0.8	—
架空电力线路	1kV 以下	1.5	3.0
	1kV～30kV	3.0	3.5
	35kV～110kV	不允许架设	4.0
绝缘电缆(无套管)		1.0	1.5
电缆套管、桥架或电缆沟		0.5	1.0
架空索道(至小车底最低部分)		—	3.0
电车轨道的架空线		1.5	—
其他管道	$DN<300$mm	与管道直径相同，且不小于 0.1	与管道直径相同，且不小于 0.1
	$DN\geqslant300$mm	0.3	0.3
皮带通廊上、下缘		0.5	0.5

注：1 表中铁路不包括行驶电力机车的铁路；

2 人行区域指与煤气运行无关的人员通行的区域；

3 非车行和人行区域指车辆不能通行及无关人员不允许滞留的区域；

4 架空电力线路与架空煤气管道的交叉垂直净距，应计及导线的最大垂度；

5 表中架空煤气管道指有落地支架支撑的室外架空煤气管道。

8.2.15 地下煤气管道不得从堆积易燃、易爆材料和具有腐蚀性液体的场地及建筑物和大型构筑物（不包括架空的建筑物和大型构筑物）的下方穿越，且不应与其他管道或电缆同沟敷设。

8.2.16 地下煤气管道不宜敷设在密闭的沟内。当必须敷设在沟内时，应在沟内填满细砂，并定期检查管道使用情况。

8.2.17 地下煤气管道与建（构）筑物、铁路、道路和相邻管道的最小水平净距，应符合表8.2.17的规定。电力或通信电缆中的直埋电缆应设在套管内，其最小水平净距应以套管外壁计算。

表8.2.17 地下煤气管道与建（构）筑物、铁路、道路和相邻管道的最小水平净距

名称		最小水平净距（m）	
		一般情况	特殊情况
建（构）筑物基础		1.0	0.7
铁路	标准轨距铁路中心线	5.0	—
	窄轨轨距铁路中心线	4.5	—
车行道路路肩		0.6	—
管线支架基础		0.8	—
围墙基础		0.6	—
电杆（塔）基础	≤35kV	1.0	—
	>35kV	2.0	—
电力或通信电缆	直埋	1.0	—
	电缆沟	1.5	—
给水管道		0.5	—
污水及雨排水管道		1.2	—
热力管道		1.0	—
燃气管道	DN≤300mm	0.4	—
	DN>300mm	0.5	—

续表 8.2.17

名称		最小水平净距(m)	
		一般情况	特殊情况
管沟	排水沟及铁路、道路边沟	0.6	—
	综合管沟	1.5	1.0
树木(中心)		1.5	0.75

注:1 特殊情况下的数值指受地形限制,经与有关部门协商,已采取有效防护措施后采用的数值;

2 地下煤气管道与建(构)筑物基础或相邻管、沟的最小水平净距系指煤气管道外壁与基础外缘或相邻管道、管沟外壁之间的最小距离。

8.2.18 地下煤气管道与构筑物、铁路、道路和相邻管道交叉的最小垂直净距,应符合表 8.2.18 的规定,并应符合下列规定:

1 铁路轨底面、车行道路路面结构层底面、隧道及综合管沟下的煤气管道应设在套管内,最小垂直净距应以套管顶面计算;

2 直埋电缆应设在电缆套管内,最小垂直净距应以套管顶面计算。

表 8.2.18 地下煤气管道与构筑物、铁路、道路和相邻管道交叉的最小垂直净距

名称		最小垂直净距(m)
		地下煤气管道顶面(有套管时,以套管顶面计)
铁路轨底面		1.20
车行道路路面结构层底面		0.70
人行道路路面结构层底面		0.60
非车行与人行区地坪(机动车无法到达的地点)		0.30
隧道及综合管沟		0.30
给水、排水、热力及其他燃气管道		0.15
电力或通信电缆	直埋	0.15
	电缆沟	0.50

8.2.19 地下湿煤气管道应埋设在土壤冰冻线以下，并应设排水装置。

8.2.20 地下煤气管道不应平行敷设在铁路下面，不宜平行敷设在主要道路下面。

8.2.21 地下及地上煤气管道通过河流等有关设计要求，还应符合现行国家标准《城镇燃气设计规范》GB 50028 的有关规定。

8.3 管道工艺参数

8.3.1 煤气管道的计算压力应符合下列规定：

1 高炉至减压阀组或煤气余压发电装置前的煤气管道计算压力应取高炉炉顶的最大工作压力。减压阀组或煤气余压发电装置后的煤气管道计算压力应取剩余煤气放散装置的最大设定压力。

2 焦炉煤气抽气管道计算压力应取煤气抽气机所产生的最大负压力的绝对值。净煤气管道计算压力应取剩余煤气放散装置的最大设定压力；净煤气管道系统无放散装置时，计算压力应取抽气机最大工作压力。

3 转炉煤气抽气机前的煤气管道计算压力应取煤气抽气机产生的最大负压力的绝对值。

4 煤气加压机（抽气机）入口前的煤气管道计算压力应取剩余煤气放散装置的最大设定压力；煤气加压机（抽气机）出口后的煤气管道计算压力应取加压机（抽气机）入口前的管道计算压力加加压机（抽气机）最大升压。

5 混合煤气管道计算压力宜取混合前较高煤气管道的计算压力。

8.3.2 用于制作钢板卷管的板材、无缝钢管或焊接钢管的许用应力，应按现行国家标准《工业金属管道设计规范》GB 50316 中对应的设计温度下材料的许用应力选取。属于压力管道时，应按现行国家标准《压力管道规范 工业管道》GB/T 20801 的有关规定选取。

8.3.3 无缝钢管焊接接头系数取值应为1。焊接钢管或钢板卷管应根据焊接接头型式及无损检测比例确定，并应符合表8.3.3的规定。

表8.3.3 管子与管件的纵向焊接接头系数

焊接方法	接头型式	检测要求	
		局部无损检测	100%无损检测
电熔焊(SAW)及螺旋缝自动焊	单面对接焊	0.80	0.90
	双面对接焊	0.85	1.00
电阻焊(ERW)	单面对接焊	0.85	0.95
	双面对接焊	0.9	1.00

注：无损检测指采用射线或超声波检测。

8.3.4 煤气管道的介质流速宜按经济流速选取。

8.3.5 煤气管道管径应根据煤气工况流量和实际流速，按下列公式计算：

$$d=18.81\sqrt{\frac{Q}{v}} \tag{8.3.5-1}$$

$$\eta=\frac{Q}{Q_0}=\frac{T_0+t}{T_0}\cdot\frac{P_0}{P+P_z-P_{H_2O}} \tag{8.3.5-2}$$

式中：d——管道内径(mm)；

Q——煤气工况流量(m^3/h)；

Q_0——煤气标况流量(m^3/h)；

η——工况系数；

v——工况状态煤气实际流速(m/s)；

T_0——标准状态0℃时的绝对温度273.15K；

t——煤气工作温度(℃)；

P——煤气工作压力(表压，kPa)；

P_0——标准状态一个标准大气压，取101.325(kPa)；

P_z——当地大气压(kPa)；

P_{H_2O}——在工作温度 t(℃)下，水蒸气达到饱和时，气体中的分压力(kPa)。水蒸气未达到饱和时，可取 0。

8.3.6 煤气管道壁厚应根据设计压力、管道直径、许用应力、焊接接头系数及壁厚附加量等，按下列公式计算：

$$t_s = \frac{PD_0}{2([\sigma]^t \varphi + PY)} \tag{8.3.6-1}$$

$$t_{sd} = t_s + C \tag{8.3.6-2}$$

$$C = C_1 + C_2 \tag{8.3.6-3}$$

$$t_n = t_{sd} + \Delta \tag{8.3.6-4}$$

式中：t_s——管道计算厚度(mm)；

P——设计压力(或计算压力)(表压，MPa)；

D_0——管道外径(mm)；

$[\sigma]^t$——设计温度下管道许用应力(MPa)；

φ——焊接接头系数；

Y——系数，当设计温度小于或等于 482℃时，按 0.4 取值；

t_{sd}——管道设计厚度(mm)；

C——壁厚附加量，当 $DN<500$ 时，C 可取 2；当 $DN \geqslant 500$ 时，$C \geqslant 3$(mm)；

C_1——钢材厚度负偏差(mm)；

C_2——腐蚀裕度(mm)；

t_n——管道名义厚度(mm)；

Δ——厚度圆整值(mm)。

8.3.7 煤气管道压力损失，可按下列公式计算：

1 直管段压力损失：

$$\Delta P_1 = \lambda \times \frac{v_0^2}{2} \times \frac{L}{d} \times (\rho_0 + d_c) \times \eta \tag{8.3.7-1}$$

2 局部压力损失：

$$\Delta P_2 = \xi \times \frac{v_0^2}{2} \times (\rho_0 + d_c) \times \eta \tag{8.3.7-2}$$

式中：ΔP_1——煤气管道直管段摩擦阻力损失(Pa)；

ΔP_2——煤气管道局部摩擦阻力损失(Pa)；

λ——直管段摩擦系数，对净煤气管道可取 0.03；

ξ——局部阻力系数；

v_0——标准状态下的煤气流速(m/s)；

g——重力加速度(m/s^2)；

L——管道长度(m)；

ρ_0——标准状态下的煤气密度(kg/m^3)；

d_c——工作状态下的煤气含湿量(kg/m^3)。

8.3.8 煤气管道的跨距应按强度与刚度条件分别计算，并应取较小值，并应符合下列规定：

1 强度条件管道跨距可按下式计算：

$$L_1=0.071\sqrt{\frac{[\sigma]^t W}{q}} \tag{8.3.8-1}$$

2 刚度条件管道跨距可按下式计算：

$$L_2=0.048\sqrt[4]{\frac{E_t I}{q}} \tag{8.3.8-2}$$

式中：L_1——按强度计算的管道跨距(m)；

L_2——按刚度计算的管道跨距(m)；

$[\sigma]^t$——设计温度下管道许用应力(MPa)；

E_t——设计温度下的管材的弹性模量(MPa)；

W——管道扣除腐蚀裕量及负偏差后的抗弯截面模量(mm^3)；

I——管道扣除腐蚀裕量及负偏差后的截面惯性矩(mm^4)；

q——管道计算荷载(N/m)，等于基本计算荷载和预留荷载之和。

8.4 管道附属设施

8.4.1 剩余煤气放散装置的布置应符合下列规定：

1 高炉煤气和焦炉煤气放散塔的煤气引入管应接自全厂煤气主管网,并应靠近管网中的净煤气总管。

2 单座放散塔时,宜靠近主管网的中部;有两座及两座以上放散塔时,宜分别布置在全厂净煤气总管的两端。

3 剩余煤气放散量应根据全厂煤气平衡所富余的最大与最小煤气量综合确定。

4 剩余煤气放散塔应采用点火燃烧放散。放散量波动较大时,宜选用多管式结构型式。

5 剩余煤气放散塔放散时的净煤气总管压力应小于该管网所能允许的最高安全运行压力。放散时应有稳定全厂净煤气总管压力的措施。

6 剩余煤气放散装置应设置隔断装置、调压设施、自动点火设施、燃烧设施、防回火设施和灭火设施等。

7 剩余煤气放散装置的燃烧器 30m 范围内,不应有可燃气体的放空设施。

8 剩余煤气放散装置与周围建(构)筑物的防火间距应根据人或设备允许的辐射热强度计算确定。

9 剩余煤气放散塔燃烧器顶端的高度应高出周围建筑物,且距离地面不应小于 50m,并应高出操作平台 4m 以上。

8.4.2 煤气管道的隔断装置设计应符合下列规定:

1 经常检修的部位应设隔断装置。

2 封闭式盲板阀、阀腔注水的双闸板水封阀或阀腔注水的 NK 阀可作为隔断装置,水封高度应为煤气计算压力至少加 500mm。敞开式盲板阀不应单独使用。

3 蝶阀、闸阀和球阀等单独使用时不应作为隔断装置,应与 U 型水封、盲板阀或盲板等其中之一组合使用作为隔断装置。

4 盲板可用于煤气设施扩建延伸的部位,其他部位不宜单独使用盲板。

5 煤气管道计算压力大于 0.05MPa 时,其煤气管道隔断装置应采用蝶阀、闸阀、球阀与盲板阀或盲板等其中之一组合的方式。

6 盲板宜采用整块钢板结构。如需拼接，对接焊缝应作100%无损检测。

8.4.3 煤气计算压力小于或等于0.05MPa的煤气管道应采用水封式自动排水器，排水器宜为防泄漏型。煤气计算压力大于0.05MPa的煤气管道宜采用手动排水器或自动排水密封罐。煤气管道排水器的布置应符合下列规定：

1 同一煤气管道隔断装置两侧的排水器应分别设置；

2 两个或多个排水器上部的排水管不应连通；

3 不同介质的煤气管道不得共用一个排水器。

8.4.4 煤气管道补偿器的设计要求应符合本规范第8.1.8条的规定。

8.4.5 煤气隔断装置前后宜设检查孔。公称直径大于或等于600mm煤气管道宜采用人孔，公称直径小于600mm煤气管道应采用手孔。

8.4.6 煤气管道应设吹扫口和取样管。煤气放散管阀门前应设取样管，检查孔盖板上可设吹扫口。吹扫和取样管接头上应设阀门。

8.4.7 煤气放散管应分别设置，除放散气集中处理外，严禁将两个或多个放散管连通。

8.4.8 煤气管道应设煤气流向和种类的标识。

8.4.9 煤气管道应设消除静电和防雷接地装置，并应符合本规范第9.1.5条的规定。

8.4.10 煤气管道水封的有效高度，应取煤气计算压力加5kPa与煤气计算压力1.2倍的较大值，且不得小于20kPa。

8.4.11 煤气阀门应符合下列规定：

1 煤气阀门不宜采用截止阀，大于或等于*DN*500煤气管道的阀门宜采用蝶阀，并宜采用金属硬密封及偏心结构。

2　隔断装置的煤气阀门驱动方式宜采用电动型式。

3　煤气阀门的防护等级和防爆等级应根据所处区域特性确定。

4　煤气阀门的阀体材质宜选用碳素钢或合金钢，阀体的结构型式可采用焊接件或铸钢件。

5　金属密封蝶阀应符合现行行业标准《金属密封蝶阀》JB/T 8527 的规定。密封试验应符合现行国家标准《工业阀门　压力试验》GB/T 13927 的有关规定，不应低于 B 级为合格。

6　盲板阀应符合现行国家标准《眼镜阀》GB/T 24917 的有关规定。密封试验应符合现行国家标准《工业阀门　压力试验》GB/T 13927 的有关规定，零泄漏量为合格。

7　封闭式盲板阀应在底部设排污口，在阀门的顶部应设放散口，阀体上应设检修人孔及吹扫口。

8　阀门法兰技术条件、型式及尺寸应符合现行国家标准《钢制管法兰　技术条件》GB/T 9124 的有关规定。

9　阀门用垫片可采用金属包覆垫片、缠绕式垫片或非金属垫片。

10　单向密封的煤气阀门，安装时应使其承压密封侧与管系检修时的承压方向保持一致。

11　盲板阀宜在无背压的情况下开启。当安装高度距地面净距小于或等于 6m 时，盲板阀应选用封闭式。

12　煤气阀门本体上应标识醒目的“介质流向”箭头或“高压侧”与“低压侧”字样。

8.5　管道检测要求

8.5.1　煤气管道在试压前，应进行无损检测，检测方法宜为射线检测。

8.5.2　设计压力小于 0.1MPa 的煤气管道焊缝应按设计文件要求进行局部无损检测。设计文件无明确要求时，射线检测比例不应小于5%,焊缝质量等级不应低于Ⅲ级。

8.5.3 设计压力大于或等于0.1MPa煤气压力管道的无损检测要求,应符合现行国家标准《压力管道规范 工业管道》GB/T 20801的有关规定。

8.6 管道试压要求

8.6.1 煤气管道在试压前,应编制煤气管道试压方案,并应经批准后实施。

8.6.2 煤气管道泄漏性试验应采用气压试验。试验介质应采用空气或氮气。

8.6.3 试压前,应对煤气管道各处连接部位及焊缝进行检查并合格。

8.6.4 试压前,应清除煤气管道内的一切杂物、积水,并应封闭人孔或手孔,同时应关闭放散管、取样管及吹扫口上的阀门,试压管道的两端应堵上盲板。

8.6.5 试压前,不应对煤气管道进行涂漆和包扎。

8.6.6 煤气管道上的附件可与煤气管道一起进行试压。补偿器与煤气管道一起试压时,应采取保护措施。煤气管道上的附件与煤气管道一起试压确有困难时,可按附件的具体技术要求单独试压。

8.6.7 设计压力小于0.1MPa的煤气管道可不做压力试验,仅做泄漏性试验。试验要求应符合现行国家标准《工业企业煤气安全规程》GB 6222的有关规定。

8.6.8 设计压力大于或等于0.1MPa的煤气管道应做压力试验和泄漏性试验。试验要求应符合现行国家标准《工业企业煤气安全规程》GB 6222和《压力管道规范 工业管道》GB/T 20801的有关规定。

8.6.9 试压过程中如遇泄漏或其他故障时,测试数据应作废,不得带压修补或修理,应恢复到常压状态下整改完毕后,重新做试压试验。

8.6.10 地下煤气管道的压力试验和泄漏性试验应符合现行国家标准《工业企业煤气安全规程》GB 6222 的有关规定。

8.6.11 煤气管道的压力试验和泄漏性试验合格后，应按设计文件要求和相关规定进行管道防腐和绝热。

8.7 管道表面处理与涂装

8.7.1 煤气管道表面处理应符合本规范第 4.4.1 条的规定。

8.7.2 煤气管道表面预处理方法和要求应符合本规范第 4.4.2 条的规定。但采用手工或动力工具法除锈时，除锈等级不应低于 St2 级；采用喷射法除锈时，除锈等级不应低于 Sa2 级。

8.7.3 地上煤气管道表面涂装应符合下列规定：

1 地上煤气管道应进行防腐处理。煤气管道涂层结构应由底漆、中间漆及面漆组成，应配套使用，不得采用单一的品种作为防护涂层。

2 地上煤气管道的防腐应根据煤气介质的特点、周围大气环境等情况确定各油漆的种类、涂刷道数和干膜厚度。涂漆要求，应符合现行国家标准《工业设备及管道防腐蚀工程施工规范》GB 50726 和《工业设备及管道防腐蚀工程施工质量验收规范》GB 50727 的有关规定。

3 公称直径小于 800mm 煤气管道可只需外壁进行防腐处理，管道制作完毕后，应涂刷底漆和中间漆，管道安装完毕后应再涂刷面漆；公称直径大于或等于 800mm 煤气管道内、外壁均应进行防腐处理，管道制作完毕后，外壁应涂刷底漆和中间漆，内壁可仅涂刷底漆，管道安装完毕后外壁应再涂刷面漆。

4 地上煤气管道面漆颜色宜符合表 8.7.3 的规定，并应在管道上标识介质名称或代号和介质流向及管径，也可采用与表 8.7.3 相接近的国标色卡。

表 8.7.3 管道面漆颜色

序号	介质名称	面漆		介质代号
		色卡号码	颜色	
1	焦炉煤气	RAL7036	铂灰色	COG
2	高炉煤气	RAL7036	铂灰色	BFG
3	转炉煤气	RAL7036	铂灰色	LDG
4	熔融还原炉煤气	RAL7036	铂灰色	COX
5	混合煤气	RAL7036	铂灰色	MIXG

注:面漆颜色采用国际通用的德国 RAL 色卡。

5 地上煤气管道防腐涂漆应符合设计文件或合同的规定。

8.7.4 地下煤气管道和埋地设备的防腐蚀应根据土壤的腐蚀性等级决定防腐等级。土壤腐蚀性等级和防腐蚀等级应符合表 8.7.4 的有关规定。

表 8.7.4 土壤腐蚀等级和防腐蚀等级

防腐蚀等级	土壤腐蚀性等级	电阻率 (Ω·m)	平均腐蚀速率 [g/(dm²·a)]	腐蚀电流密度 (μA/cm²)
特加强级	高	<20	>7	>9
加强级	中	20～50	5～7	6～9

注:1 当其中任何一项超过本表中的指标时,防腐蚀等级应提高一级;
2 穿越河流、铁路、公路、山洞、盐碱沼泽地或靠近电气铁路等地段的地下煤气管道防腐蚀等级,宜选特加强级防腐层;
3 穿越电气铁路的地下煤气管道应选特加强级防腐层。

8.7.5 地下煤气管道防腐可采用物理或电化学方法进行。采用物理阻隔方法进行防腐时,表面防腐结构宜由沥青底漆、玻璃布与聚氯乙烯薄膜组成,并应符合表 8.7.5-1、表 8.7.5-2 的有关规定。

表 8.7.5-1 石油沥青防腐涂层结构

防腐蚀等级	防腐层结构	涂层总厚度（mm）	层数
特加强级	沥青底漆—沥青—玻璃布—沥青—玻璃布—沥青—玻璃布—沥青—玻璃布—聚氯乙烯薄膜	7～10	10层
加强级	沥青底漆—沥青—玻璃布—沥青—玻璃布—沥青—玻璃布—沥青—聚氯乙烯薄膜	5.5～8	9层

表 8.7.5-2 环氧煤沥青防腐漆涂层结构

防腐蚀等级	防腐蚀涂层结构	涂层总厚度（μm）	层数
特加强级	底漆—面漆—玻璃布—面漆—玻璃布—面漆—玻璃布—面漆—玻璃布—两层面漆	≥900	10
加强级	底漆—面漆—玻璃布—面漆—玻璃布—面漆—玻璃布—两层面漆	≥700	8

8.8 管道吹扫

8.8.1 煤气管道试压合格后应进行管道吹扫。

8.8.2 煤气管道宜采用空气或氮气进行吹扫。公称直径大于或等于600mm煤气管道可采用人工清理管内杂物污垢，小于600mm的煤气管道可直接采用空气或氮气进行吹扫。焦油、萘含量较高的焦炉煤气管道，可采用蒸汽进行吹扫，但应有防止造成管道负压或失稳和防止管道内积水的措施，应控制管道的热位移量在设计范围内。

8.8.3 吹扫时管道内压力不得超过管道设计压力，吹扫气体流速不宜小于 20m/s。

8.8.4 煤气管道的吹扫除应符合本规范第 8.8.1 条～第 8.8.3 条的规定外，还应符合现行国家标准《工业企业煤气安全规程》GB 6222 的有关规定。

9 辅助设施

9.1 电气设施

9.1.1 煤气储存和输配系统应采用两路独立电源供电，每路电源均应能承担100%设计负荷，并应能自动切换。计算机系统应配置UPS电源，当断电后UPS电源持续供电时间不宜小于30min。煤气储存和输配系统生产供电和消防用电均应按一级负荷供电。

9.1.2 煤气储存和输配系统爆炸危险环境区域划分，应符合表9.1.2的规定。

表9.1.2 爆炸危险环境区域划分

名称	区域场所或装置名称	爆炸危险环境区域划分
煤气柜	煤气柜活塞与柜顶之间空间	1区
	煤气柜进口和出口管道地下室内	1区
	煤气柜侧板外3.0m范围内，柜顶上4.5m范围内	2区
	油泵房(站)、电梯机房	2区
煤气加压站(煤气压缩站)	焦炉煤气加压机间(压缩机间)	1区
	转炉煤气、高炉煤气或混合煤气加压机间(压缩机间)	2区
煤气净化设备	相对密度小于或等于0.75的煤气净化设备外缘外4.5m、高7.5m范围内； 相对密度大于0.75的煤气净化设备外缘外3.0m范围内	2区
煤气管道	煤气管道上的法兰等外缘3.0m范围内	2区

注：1 当混合煤气爆炸下限小于10%时，混合煤气加压机间按1区防爆设计。

2 露天敷设在高炉煤气管道上的蝶阀、闸阀和球阀(其后无盲板及盲板阀)的电动设施可按无爆炸危险环境确定。其余煤气管道上阀门的电动设施按2区防爆设计。

3 混合站爆炸危险环境区域划分归属煤气管道。

4 当煤气相对密度小于或等于0.75时，煤气柜柜顶上7.5m范围内的爆炸危险环境区域划分为2区。

9.1.3 煤气储存和输配系统的照明应符合下列规定：

1 煤气储配站应设工作照明，宜设工作照明的供电网络，电压等级宜为AC 380/220V。工作照明的电源应采用三相四线制。

2 在操作值班室、配电间、仪表间等重要场所应设事故照明和检修照明，事故照明宜由蓄电池组供电。

3 主厂房、操作值班室的出入口、通道和楼梯间的事故照明，可采用应急灯。煤气储配站的消防应急照明和消防疏散指示标志，应符合现行国家标准《建筑设计防火规范》GB 50016的有关规定。

4 检修时容易触及而又无防止触电措施的固定式或移动式灯具，其使用电压不应大于24V。

5 稀油柜外部电梯照明应符合下列规定：

1) 井道应设永久性的电气照明装置，灯具应为节能环保型。当在所有的门关闭时，在轿顶面以上和底坑地面以上1m处的照度应至少为50lx。

2) 距井道最高和最低点0.50m以内应各装设一盏灯，再设中间灯，照度应至少为50lx。

6 煤气储配站的照明设计还应符合现行国家标准《建筑照明设计标准》GB 50034的有关规定。

9.1.4 煤气柜高度大于或等于45m时应设航空障碍灯。航空障碍灯的设计应符合下列规定：

1 障碍标志灯应装设在煤气柜顶部的最高部位。当煤气柜顶部面积较大时，除应在最高部位设障碍标志灯外，还应在煤气柜顶部周围分别设置。

2 障碍标志灯的水平、垂直距离不宜大于45m。

3 障碍标志灯宜采用自动通断电源的控制装置。

9.1.5 煤气储配站内煤气设施应设防雷接地和防静电接地装置。接地装置应符合下列规定：

1 煤气柜应为第二类防雷构筑物，应设独立接地装置，接地电阻应小于或等于10Ω。接闪网、接闪带或接闪杆的保护范围应包括整个煤气柜和外部电梯。煤气柜顶部应设防雷设施，避雷针应独立设置，不应设在安全放散管和紧急放散管上。防雷接地可利用煤气柜柜体并加装专用接地引下线，接地点不应少于2处，两接地点间距离沿周长计算不应大于30m，每处接地点的冲击接地电阻不应大于30Ω。

2 煤气放散塔顶部应设避雷针。煤气净化站宜设单独避雷设施，在避雷设施保护半径范围内时可不设。

3 煤气加压站和煤气混合站等具有爆炸危险的建(构)筑物应有防雷接地设施，其设计应符合现行国家标准《建筑物防雷设计规范》GB 50057 的“第二类防雷建筑物”的规定。

4 煤气管道应有防静电和防雷的接地装置，其接地电阻不应大于10Ω，法兰和螺纹连接处的电阻应小于0.03Ω。管道末端和转弯处应设接地装置，管道直线段相邻接地装置间的长度应小于或等于100m，但距离建筑物25m内的管道，应接地一次。

5 防雷设施还应符合现行国家标准《建筑物防雷设计规范》GB 50057 的有关规定。

9.1.6 加压机和电机等设备的外壳保护接地应符合现行行业标准《交流电气装置的接地》DL/T 621 的有关规定。

9.1.7 煤气储配站内煤气设施电缆和电线应穿管敷设，导线接头应采用密封接线盒。控制柜柜体、灯具、开关盒和接线盒等外壳应可靠接地。煤气区域内所用电缆与导线应采用阻燃型。电缆选型和敷设的设计，还应符合现行国家标准《爆炸危险环境电力装置设计规范》GB 50058 及《电力工程电缆设计规范》GB 50217 的有关规定。

9.1.8 露天布置的电气设备其机壳防护等级不应低于IP54，爆炸和火灾危险环境的电气设施还应符合防爆和防火要求。

9.2 自动化控制与检测

9.2.1 煤气柜的检测和控制项目内容，应符合下列规定：

1　煤气柜应设煤气温度、密封油温度、密封油油位、储气压力、储气量、活塞位置和活塞倾斜量测量装置。其中活塞油沟密封油油位、储气压力、储气量、活塞位置等数值应远传到操作值班室或远程控制中心的计算机上显示。一次仪表不得引入操作值班室内。

2　在活塞上部应设不少于4点固定式一氧化碳检测报警装置，煤气进出口管道地下室以及有人值守的储配站控制室，应设固定式一氧化碳检测报警装置。

3　煤气进口管、出口管和煤气放散管上的电动阀门，应设与煤气柜储气量、储气压力、活塞位置、活塞速度和活塞倾斜量的联动保护措施，并应能发出声光报警信号。

4　当橡胶膜柜储存转炉煤气时，煤气进口管上应设煤气氧含量在线测量装置，并应能发出声光报警信号，进口管道中煤气氧含量应小于或等于2%。

9.2.2　煤气加压站检测和控制项目内容，应符合下列规定：

1　煤气加压站应设加压机进口和出口管道煤气温度和煤气压力测量装置，流量测量装置宜设在出口总管上。煤气加压机入口应设低压报警和联锁装置。

2　煤气加压机进口和出口总管之间宜设回流调节装置。

3　加压机房应设固定式一氧化碳检测报警装置，并宜与通风机联锁。

9.2.3　煤气混合站应设不同热值煤气的压力、温度和流量测量装置。

9.2.4　煤气电除尘器的检测和控制项目内容，应符合本规范第5.4节的有关规定。

9.2.5　下列设施应设保护接地：

1　仪表外壳、仪表盘、供电箱和电缆桥架；

2　电子式仪表的信号回路；

3　屏蔽电缆和屏蔽线的屏蔽层；

4 控制系统及特殊仪表，应单独接地。

9.2.6 煤气储存和输送系统宜设远程监控及数据采集系统，通过EMS对煤气储存、净化、加压和混合等设施及其附属设备，以及能源潮流进行远程监视和操作。

9.2.7 建立EMS系统的企业，对于涉及生产安全和人身安全的能源潮流和设备，应具有通过EMS进行直接的非常监视和操作功能。

9.3 火灾报警和通信

9.3.1 火灾自动报警系统的设计应符合现行国家标准《火灾自动报警系统设计规范》GB 50116 的有关规定。

9.3.2 煤气储配站的通信设施应符合下列规定：

1 控制室应设行政电话和防爆无线电对讲机，并应设与煤气调度室、煤气生产部门和主要煤气用户联络的调度电话；

2 管理人员办公室内应设行政电话；

3 稀油柜的外部电梯内应设防爆事故求助电话；

4 煤气加压机房、煤气柜柜容指示器和稀油柜活塞上部，宜设防爆式工业电视监控系统并预留网络接口，工业电视监控系统的设计，应符合现行国家标准《工业电视系统工程设计规范》GB 50115 的有关规定。

9.4 消防和给排水设施

9.4.1 煤气储配站内建构（筑）物消防车道的设置应符合现行国家标准《建筑设计防火规范》GB 50016 的有关规定。

9.4.2 煤气柜消防车道的设置应符合本规范第3.1.7条和第3.1.8条的规定。

9.4.3 煤气储配站的火灾自动报警系统的设置应符合现行国家标准《建筑设计防火规范》GB 50016 和《钢铁冶金企业设计防火规范》GB 50414 的有关规定。

9.4.4 煤气储配站的建(构)筑物应配备适当种类和数量的灭火器材。灭火器材的配置应符合现行国家标准《建筑灭火器配置设计规范》GB 50140 的有关规定。

9.4.5 给排水设施应符合下列规定：

1 生产给水系统可与消防给水系统合并。当用水达到最大小时用水量时,合并的给水系统应保证全部消防用水量。

2 煤气柜本体可不设固定喷淋冷却灭火系统。

3 埋地给排水管道的深度应大于建设地最大冻土层深度,位于最大冻土层以上的给排水管道应进行保温处理。

4 煤气柜四周宜设雨排水沟。

5 稀油柜站区内应设隔油池。

6 雨水排水应由管渠排出,暴雨强度应符合现行国家标准《室外排水设计规范》GB 50014 的有关规定。

9.4.6 煤气储配站消防给水及消火栓系统的设计,应符合现行国家标准《消防给水及消火栓系统技术规范》GB 50974 的有关规定。

9.5 采暖与通风

9.5.1 煤气储配站内建(构)筑物宜设采暖,室内采暖计算温度应符合下列规定：

1 油泵站应为＋5℃；

2 办公室应符合现行国家标准《工业建筑供暖通风与空气调节设计规范》GB 50019 的有关规定,其他房间应为＋15℃。

9.5.2 控制室、操作室和分析室宜设空气调节设施。

9.5.3 煤气柜外部电梯机房不得使用蒸汽或热水进行采暖。

9.5.4 煤气加压机房、油泵房和外部电梯机房及其他与煤气接触的密闭空间,应设强制通风装置,通风换气次数不宜小于 7 次/h。煤气加压机房的事故通风换气次数不应小于 12 次/h。通风装置宜与一氧化碳监测装置及火灾自动报警装置联锁。

9.5.5 煤气储配站的采暖与通风设计,还应符合现行国家标准

《建筑设计防火规范》GB 50016 及《工业建筑供暖通风与空气调节设计规范》GB 50019 的有关规定。

9.6 建筑与结构

9.6.1 煤气储配站厂房火灾危险性分类及建筑物的耐火等级不应低于表 9.6.1 中的规定。

表 9.6.1 煤气储配站厂房火灾危险性分类及建筑物的耐火等级

名　　称	火灾危险性分类	耐火等级
焦炉煤气加压机房	甲	二级
高炉煤气加压机房	乙	二级
转炉煤气加压机房		
混合煤气加压机房		
煤气管道排水器室		
油泵房	丙	二级
油浸电力变压器室、润滑油储藏间		
操作控制室	丁	二级
热值仪室、煤气取样分析室		
煤气检化验室		
煤气防护站		
高配室、低配室		
湿式电除尘器整流器室		
电梯机房		

注：当混合煤气爆炸下限小于 10%时，混合煤气加压机房按甲类生产厂房设计。

9.6.2 煤气柜抗震设防类别应为乙类，其抗震设计应符合现行国家标准《建筑抗震设计规范》GB 50011 的有关规定。

10 安全与环保

10.1 一般规定

10.1.1 煤气储存和输配系统设计应采用有利于安全防护与环境保护的新技术、新工艺、新材料和新设备；对于生产过程中不能完全消除的生产性粉尘、毒物和噪声，以及高温等职业性有害因素，应采取综合控制和治理措施。

10.1.2 安全防护与环境保护应与主体工程同时设计、同时施工、同时投入生产使用。

10.1.3 煤气储存和输配系统选址应依据我国现行的安全生产和环境保护的法律法规、标准和拟建项目生产过程的安全特征及其对环境的要求、有害因素的危害状况，结合建设地点现状与当地政府的整体规划，以及水文、地质、气象等因素，进行综合分析而确定。

10.1.4 煤气储配站应设在当地全年最小频率风向的上风侧。

10.2 安 全

10.2.1 煤气储存设施的安全防护应符合下列规定：

1 煤气柜的总图布置要求和防火间距要求应符合本规范第3.1节的规定。

2 煤气柜应设高位、低位和高压、低压声光报警及联动保护。

3 煤气柜应设活塞运行速度报警及联动保护。

4 在活塞上部、进出口管道地下室以及控制室，应设固定式一氧化碳检测报警装置。

5 外部电梯应设最终位置极限开关、升降异常灯。电梯内部应设安全开关、安全扣和联络电话。当相邻二层门出口走台板间距离大于 11m 时，其间应设置井道安全门。

6 煤气柜的防雷设计应符合本规范第 9.1.5 条的规定。

7 煤气柜区电气设备的选择、电缆选型和敷设，应符合现行国家标准《爆炸危险环境电力装置设计规范》GB 50058 的有关规定。

8 生产、供应和使用煤气的钢铁企业宜设煤气防护站。煤气防护站应配备人员、救援设施及特种作业器具。防护站的设计应符合现行国家标准《工业企业煤气安全规程》GB 6222 的有关规定。

9 煤气柜区消防和给排水设施应符合本规范第 9.4 节的规定。

10 操作平台应设防护栏杆，高于 3m 的直爬梯应设护笼，斜梯应设扶手。

10.2.2 煤气净化设施的安全防护应符合下列规定：

1 煤气净化设施的总图布置要求和防火间距要求，应符合本规范第 3.2 节的规定；

2 煤气净化区域内宜设煤气泄漏报警装置，煤气泄漏报警装置的设计，应符合现行国家标准《石油化工可燃气体和有毒气体检测报警设计规范》GB 50493 的有关规定；

3 电除尘器进口应设氧含量连续检测装置，当转炉煤气氧含量达到 1%时，应能自动切断高压电源。

10.2.3 煤气混合站的安全防护应符合下列规定：

1 煤气混合站的总图布置要求应符合本规范第 3.3 节的有关规定；

2 煤气混合站的防雷防静电设计应符合本规范第 9.1.5 条的有关规定。

10.2.4 煤气加压站的安全防护应符合下列规定：

1 煤气加压站的总图布置要求应符合本规范第 3.4 节的有关规定；

2　煤气加压站主厂房应设泄压设施，并应符合现行国家标准《建筑设计防火规范》GB 50016 的有关规定；

3　煤气加压站的防雷设计应符合本规范第 9.1.5 条的有关规定；

4　煤气加压区域电气设备的选择、电缆选型和敷设，应符合现行国家标准《爆炸危险环境电力装置设计规范》GB 50058 的有关规定；

5　煤气加压机或压缩机进口管道应设低压报警装置，当煤气压力处于低限时，应能自动联锁并停机。

10.2.5　煤气管道的安全防护应符合下列规定：

1　煤气管道的布置应符合本规范第 8.2 节的有关规定；

2　煤气管道应按本规范第 9.1.5 条的规定进行防雷和防静电设计；

3　煤气管道及附属设备的安全措施应符合现行国家标准《工业企业煤气安全规程》GB 6222 的有关规定；

4　煤气管道 U 型水封给水管应设 U 型给水水封和逆止阀；

5　煤气管道上可能泄漏煤气的场所应挂警示牌。

10.2.6　煤气生产、净化(回收)、加压混合、储存和使用等设施有人值守的场所，应设固定式一氧化碳检测报警装置。

10.3　环境保护

10.3.1　污染物控制应符合下列规定：

1　当煤气柜储存焦炉煤气、混合煤气或熔融还原炉煤气时，底部油沟和油泵站在生产运行中产生的含油、酚、氰的废水应排放至隔油池，并应定期用槽车运出进行集中处理。

2　当煤气柜储存高炉煤气时，底部油沟和油泵站在生产运行中产生的含油废水应排放至隔油池进行净化处理。达标后，可就近排入厂区生产雨水管道。不能就地处理时，应定期用槽车运出进行集中处理。

3 煤气中含有氰、酚等冷凝水应收集并进行集中处理，不得直接排放。

4 焦炉煤气、熔融还原炉煤气的干法脱硫、脱萘等生产净化工艺中废弃的脱硫剂、吸附剂等废物，应按国家有关规定进行处理，不得随意丢弃。

10.3.2 煤气加压站和减压阀组等设计应采取消除噪声的措施，设计应符合现行国家标准《工业企业噪声控制设计规范》GB/T 50087的有关规定。

附录A 煤气柜用钢材和材料特性表

A.0.1 钢板钢号、标准及许用最低温度应符合表A.0.1的规定。

表A.0.1 钢板钢号、标准及许用最低温度

钢号	钢材标准	许用最低温度(℃)	许用最大板厚(mm)
Q235-C	现行国家标准《碳素结构钢和低合金结构钢热轧薄钢板和钢带》GB 912、《碳素结构钢和低合金结构钢热轧厚钢板和钢带》GB/T 3274	-20	12
Q235-B		-10	20
Q245R	现行国家标准《锅炉和压力容器用钢板》GB 713	-20	36
Q345R		-40	34
Q345-C		0	20
Q345-D		-20	12
Q345-E		-40	12

A.0.2 无缝钢管钢号、标准及许用最低温度应符合表A.0.2的规定。

表A.0.2 无缝钢管钢号、标准及许用最低温度

钢号	钢管标准	许用最低温度(℃)
10	现行国家标准《输送流体用无缝钢管》GB/T 8163、《结构用无缝钢管》GB/T 8162	-40
20		-20
Q345	现行国家标准《输送流体用无缝钢管》GB/T 8163	-40

A.0.3 主要型钢钢号、标准及许用最低温度应符合表 A.0.3 的规定。

表 A.0.3 主要型钢钢号、标准及许用最低温度

钢号	钢材标准	许用最低温度（℃）
Q235－C	现行国家标准《热轧 H 型钢和剖分 T 型钢》GB/T 11263	0
Q235－D		－20
Q345－D		－20
Q345－E		－40

A.0.4 螺栓、螺母性能等级应符合表 A.0.4 的规定。

表 A.0.4 螺栓、螺母性能等级

螺栓		螺母	
性能等级	标准	性能等级	标准
3.6 4.6 4.8	现行国家标准《紧固件机械性能　螺栓、螺钉和螺柱》GB 3098.1	4	现行国家标准《紧固件机械性能　螺母　粗牙螺纹》GB 3098.2
3.6 4.6 4.8		5	
5.6 5.8		5	
6.8		6	
8.8		8	
9.8		9	
10.9		10	
12.9		12	

A.0.5 焊材选用应符合表A.0.5的规定。

表A.0.5 焊材选用

钢　号	焊接方法	焊材型号	对应牌号示例
Q235-B、Q235-C	手工焊	E4303	J422
		E4315	J427
		E4316	J426
	气体保护焊	ER50-6	—
	埋弧焊	F4A0-H08A	H08A+HJ431
		F4A0-H08MnA	H08MnA+HJ431
Q245R	手工焊	E4315	J427
		E4316	J426
	气体保护焊	ER50-6	—
	埋弧焊	F4A0-H08A	H08A+HJ431
		F4A0-H08MnA	H08MnA+HJ431
Q345、Q345R	手工焊	E5015	J507
		E5016	J506
	气体保护焊	ER50-6	—
	埋弧焊	F5A2-H08MnA	H08MnA+HJ431
		F5A2-H10Mn2	H10Mn2+SJ101

附录B 多边形稀油柜柜体组成

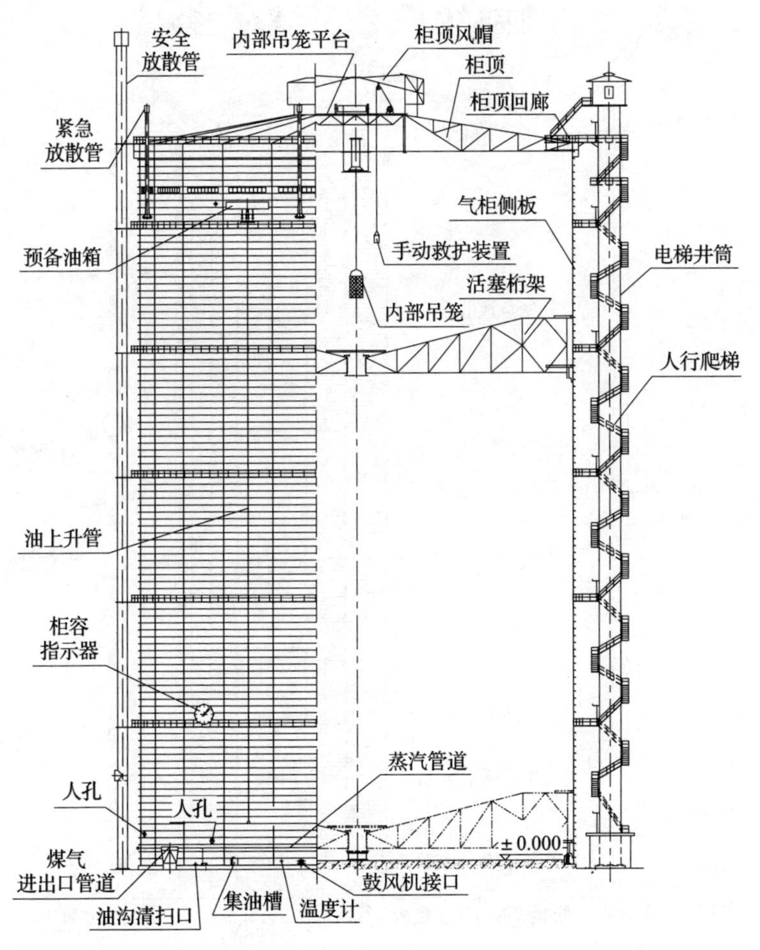

图B 多边形稀油柜柜体组成

附录C 圆筒形稀油柜柜体组成

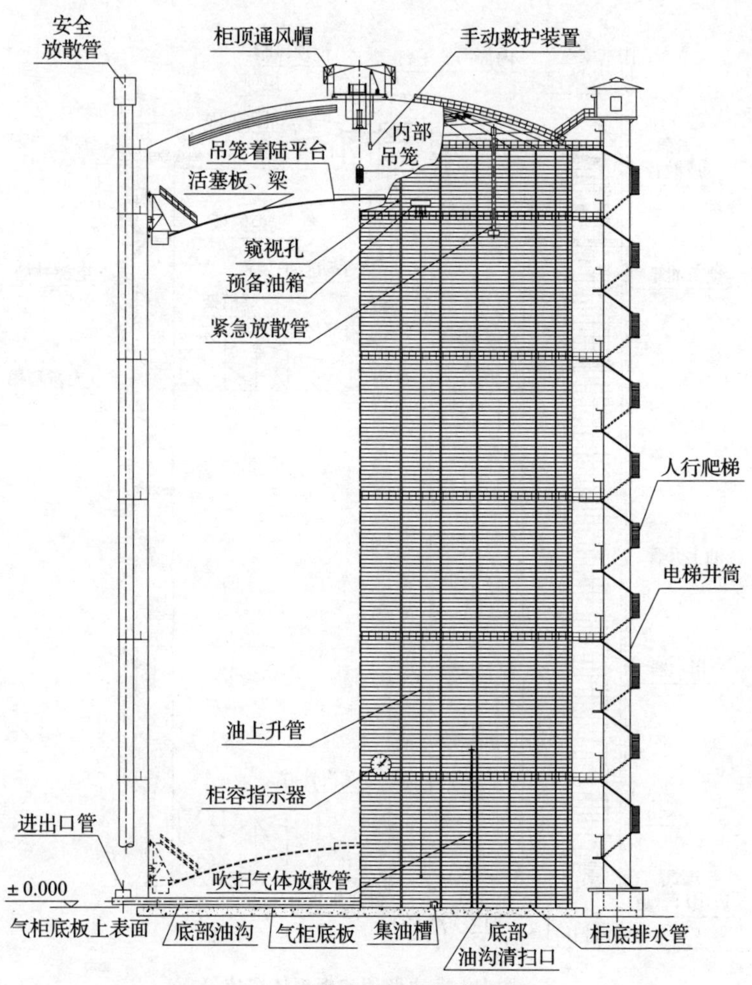

图C 圆筒形稀油柜柜体组成

附录D　橡胶膜柜柜体组成

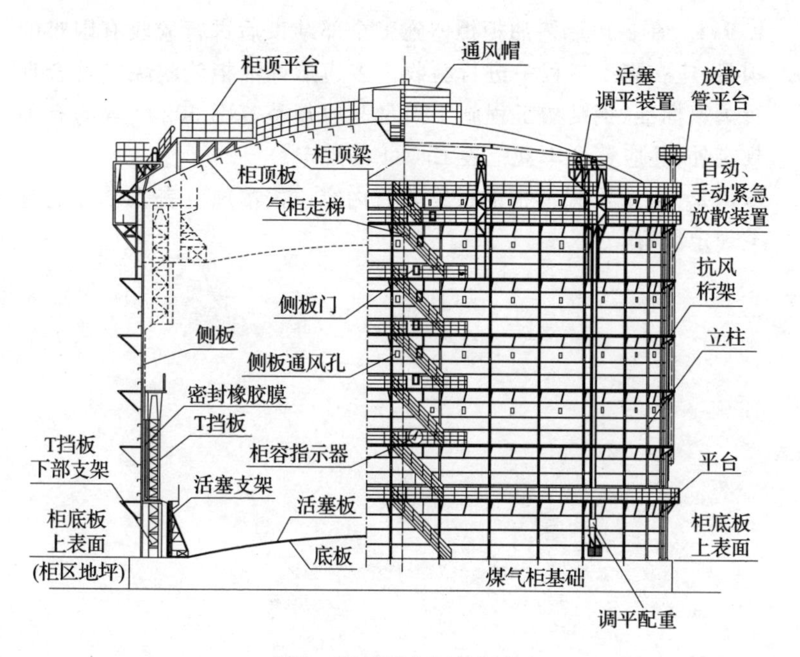

图D　橡胶膜柜柜体组成

附录E 多边形稀油柜质量要求

E.0.1 在多边形稀油柜柜体施工全部结束后进行验收有困难的项目，应在施工过程中进行验收。多边形稀油柜验收除应符合现行国家标准《钢结构工程施工质量验收规范》GB 50205 等的有关规定外，还应符合本规范表 E.0.1 的规定。

E.0.2 多边形稀油柜的最终验收内容应按本规范表 E.0.2 的有关规定执行。

表 E.0.1 多边形稀油柜质量中间验收主要项目

检查项目		检测尺寸或部位	允许值(mm)	简 图	备 注
柜底板		1. 搭接长度	符合设计	—	—
		2. 底板不平度允许误差	$^{+60}_{-40}$	—	超过不平度时，允许采用火焰校正或切割校正
		3. 底板焊缝真空度检查	不得有泄漏	—	试验压力为工作压力的2倍负值
基柱	基柱安装允许误差	1. 立柱的径向偏差 A	$^{+2}_{-0}$	B 基准点 A C	—
		2. 立柱的偏转误差 B	$\leqslant 0.5$		
		3. 相邻两立柱的间距误差 C	± 1		
		4. 基柱顶面高度允许误差	± 1	—	—
		5. 任意相邻基柱柱顶高允许误差	± 1		
		6. 径向、切向安装垂直度	$\leqslant h/5000$		h 为基柱高度(mm)
立柱	立柱加工精度	1. 直线度	$\leqslant h/5000$	—	—
		2. 沿长度方向扭曲极限偏差	$\leqslant 3$		
		3. 导轨内侧不平度	$\leqslant 1/2000$		
		4. 立柱开孔中孔数正确且每组内孔距偏差	$\leqslant 0.5$		
		5. 立柱开孔中每相邻一组间的孔位偏差	$\leqslant \pm 1$		h 为每段立柱的长度(mm)

续表 E.0.1

检查项目		检测尺寸或部位	允许值(mm)	简图	备注
立柱	立柱安装垂直度	6. 径向	≤h/1250	—	h 为每段立柱的长度(mm)
		7. 切向	≤h/2000		
		8. 相邻立柱间距离	≤±2		—
		9. 任意相邻立柱的顶高	≤±2		
		10. 相对立柱的距离	D^{+6}_{-4}		D 为煤气柜的最大直径(mm)
	立柱接头处平滑度	11. 径向 Δ	≤0.5～1.0	柱拼接点 金属直尺 1m 1m Δ 径向；柱拼接点 金属直尺 1m 1m Δ 切向	—
		12. 切向 Δ			
侧板	侧板长度、高度、绕曲	1. 侧板长度 ΔL	≤±2	L e_2 H_1 Δ e_1 折边处无裂纹	—
		2. 侧板高度 ΔH_1	≤±1		
		3. 侧板沿高度方向的不平度 Δ	≤1.0		
		4. 侧板沿长度方向的竖向绕曲 e_1	≤±1		
		5. 侧板沿长度方向的平面绕曲 e_2	≤±2		
		6. 侧板的折边部位	无裂纹		

续表 E.0.1

检查项目		检测尺寸或部位	允许值(mm)	简图	备注
侧板	侧板组装允许误差	7. 上下层侧板的组装误差 L	≤±1		—
		8. 安装后的每带(圈)侧板顶面	≤±1		
		9. 面水平度误差	≤±2		
		10. 扩孔和强制装配	不允许		
柜顶桁架	柜顶桁架(在中央拼装台架上)允许误差	1. 中心环椭圆度 L_1、L_2、L_3、L_4允许误差	±5		—
		2. 中心环中心偏移 LL、LR 允许误差	≤5		
		3. 中心环下环底面到底板的高度允许误差	$^{+30}_{-0}$		
	柜顶桁架允许误差	4. 柜顶桁架檐口处标高允许误差	±5		L 为桁架斜边的长度(mm)
		5. 柜顶桁架跨度允许误差 R	≤5		
		6. 柜顶桁架侧面绕曲允许误差	$L/1000$		
		7. 柜顶桁架端部间水平距离允许误差 S	±4		
		8. 柜顶桁架垂直度偏差	$H_2/5000$	—	H_2为柜顶结构高度(mm)

续表 E. 0. 1

检查项目		检测尺寸或部位	允许值(mm)	简图	备注
活塞	活塞（在拼装台架上）允许误差	1. 中心环椭圆度 L_1、L_2、L_3、L_4允许误差	±5	LL LR L_4 L_2 L_1 L_3	—
		2. 中心环中心偏移 LL、LR 允许误差	≤5		
		3. 中心环底面到底板的高度允许误差	$^{+20}_{-0}$		
	活塞安装允许误差	4. 活塞桁架中心线和立柱中心线之间偏移的允许误差 A	≤5	立柱中心线 活塞桁架中心线 A	—
		5. 活塞桁架跨度允许误差 ΔL	≤5	活塞桁架 L L	

续表 E.0.1

检查项目		检测尺寸或部位	允许值(mm)	简　图	备　注
活塞油沟	活塞油沟安装误差	1. 活塞油沟中心线与侧板中心线的偏差	≤3	侧板内侧 Δa Δc Δb	—
		2. 上口 Δa	≤±5.0		
		3. 下口 Δb	≤±2.0		
		4. 长度方向水平度 Δc	≤±2.0		
密封装置	密封装置安装误差	1. 密封装置的滑板与侧板之间的间隙	≤0.5	—	—
		2. 角部密封装置左、右滑块间的间隙	6±1		
		3. 滑板的水平误差	±1/每边 ±2/每圈		
导轮	导轮安装误差	1. 上、下导轮座中心线与导轨面中心线误差	≤2	—	—
		2. 上、下导轮座中心线误差			

续表 E. 0. 1

检查项目		检测尺寸或部位	允许值(mm)	简图	备注
防回转装置		防回转装置的中心与导轮中心线	≤2	—	—
高位油箱		溢流口的水平度 ΔL_1、ΔL_2 误差	≤1	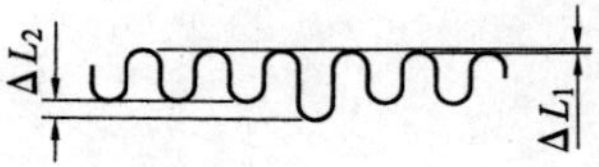 ΔL_2 ΔL_1	—
内部吊笼	内部吊笼导向筒尺寸误差	1. 中心位置	≤5	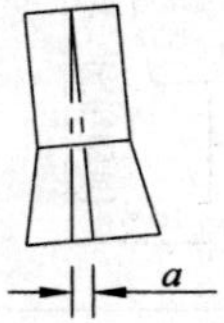 a	—
		2. 垂直度 a	≤5		
		3. 椭圆度	≤±4		

表 E.0.2　多边形稀油柜质量最终验收主要项目

检查项目		检测尺寸或部位	允许值(mm)	备　注
柜体安装精度		每组相对立柱的间距	$\leqslant D_{-4}^{+6}$	D 为煤气柜的最大直径(mm)
		每根立柱径向垂直度 ΔH_1	$\leqslant H/1500$	H 为立柱的总高度(mm)
		每根立柱切向垂直度 ΔH_2	$\leqslant H/2000$	
密封油		密封油质量	符合设计要求	—
		密封油高度		
活塞升降		活塞升降平稳性试验	活塞做运行平稳、无阻滞、无跳动、无异声;各上、下导轮均能自由转动,受力均匀;活塞防回转装置的铜块无“刨边”现象	风机送风,工作压力下,活塞以0.2m/min～0.5m/min的速度上、下运行两次。再以1.0m/min～2.0m/min的速度向下运行一次(持续时间5min,活塞有效行程60%以上)
活塞倾斜	活塞向任一方向的倾斜量	晴天	$\leqslant D/500$	活塞上正交四个固定位置,同时测量活塞倾斜度。D 为煤气柜的对角线直径(mm)
		阴天	$\leqslant D/1000$	
油泵启动时间	每个油泵站的油泵每天累计启动时间	夏天	≤12h	—
		冬天	≤6h	每个油泵站的油泵在活塞全行程内启、停均匀
活塞运行压差		活塞上、下运行时的压差	$\Delta P \leqslant \pm 200$Pa	—

附录 F 圆筒形稀油柜质量要求

F.0.1 在圆筒形稀油柜柜体施工全部结束后进行验收有困难的项目，应在施工过程中进行验收。圆筒形稀油柜中间验收和最终验收，除应符合现行国家标准《钢结构工程施工质量验收规范》GB 50205 等的有关规定外，还应符合表 F.0.1 的规定。

F.0.2 圆筒形稀油柜的最终验收内容，除应符合表 F.0.2 的有关规定外，还应符合本规范表 E.0.2 的有关规定。

表 F.0.1 圆筒形稀油柜质量中间验收主要项目

检查项目	检测尺寸或部位	允许值(mm)	简图	备注
基础高度施工误差	1. 底板油沟环状部分	±10	—	指混凝土面
	2. 中央部分	$^{+15}_{-20}$		
底板敷设施工精度	1. 搭接尺寸	$^{+30}_{-0}$	L	咬边 $e\leqslant0.5$
	2. 不平度(中央部分)	$^{+35}_{-15}$	—	局部允许 40
	3. 不平度(环状部分)	$^{+20}_{-10}$		—
	4. 用真空测试仪进行泄漏检查(真空度不小于工作压力的 2 倍)	应无泄漏		
第一段基柱安装精度	1. 高度	±2	—	—
	2. 基柱间距	±2		
	3. 至安装基准点的距离 L	$^{+2}_{-0}$	基准点 L	—

续表 F.0.1

检查项目	检测尺寸或部位		允许值(mm)	简图	备注
第一段基柱安装精度	4. 基柱下端基柱内侧面偏差		±1	a	—
	5. 基柱垂直度(上、下2点)		$a/H<1/3000$ $\lvert c-b \rvert /H<1/3000$	a H b c	—
	6. 柱脚中心对柱基准点的位移		±2	—	—
	7. 对应两基柱的直径偏差	径向	$^{+3}_{-0}$	—	—
		切向	±2	—	—
后续立柱安装精度	1. 垂直度(上、下2点)		$a/H<1/1500$ $\lvert c-b \rvert /H<1/1500$	—	—

续表 F.0.1

检查项目	检测尺寸或部位	允许值(mm)	简图	备注
后续立柱安装精度	2. 连接要求	$L_1 \leqslant 1$ $L_2 \leqslant 1$	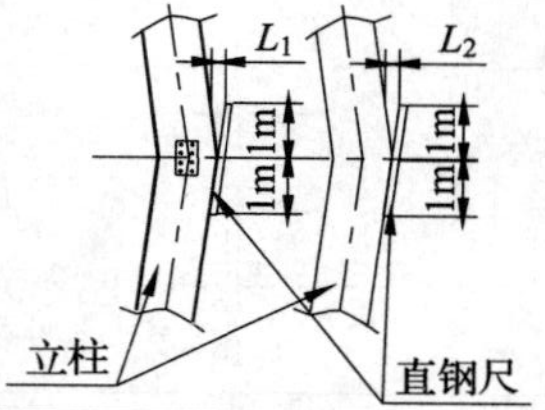 L_1 L_2 1m 1m 1m 1m 立柱 直钢尺	—
	3. 防回转立柱内侧宽度检查	$L=L_1+1.5$ 工作面 厚度 $\delta^{+1}_{-0.5}$	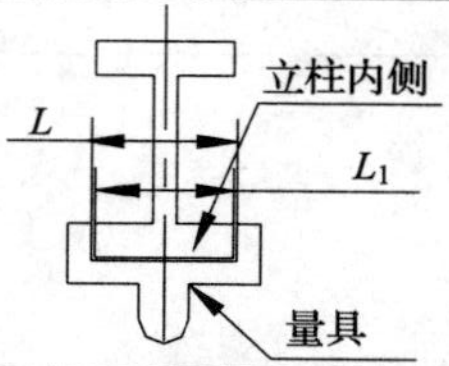 L 立柱内侧 L_1 量具	—
	4. 内侧焊缝用砂轮磨平	$^{+0.5}_{-1}$	—	—
柜顶	1. 柜顶环直径偏差	—	—	—
	2. 柜顶环安装高度(距底板)	—	—	—
	3. 柜顶环安装位置	$L \leqslant 5$ $R \leqslant 5$	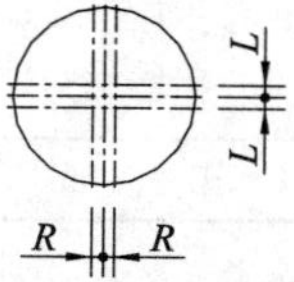 L L R R	—

续表 F.0.1

检查项目		检测尺寸或部位	允许值(mm)	简图	备注
活塞	环梁安装精度	1. 安装标准高度	±10	—	—
		2. 各部分环梁连接处的安装高度	±3		
		3. 导轮支架垂直度	1/2000		
		4. 环梁与立柱的距离	±5		
		5. 焊缝接合与外观检查	符合焊缝质量标准		咬边 $e\leqslant 0.5$
		6. 气压焊缝泄漏试验（真空度不小于2倍工作压力）	应无泄漏		—
	活塞环安装精度	1. 高度(距底板)	$^{+15}_{-0}$	—	—
		2. 位置	$L\leqslant 5$ $R\leqslant 5$	L L R R	—
	活塞顶部	1. 焊缝接合与外观检查	符合焊缝质量标准	—	咬边 $e\leqslant 0.5$
		2. 气压焊缝泄漏试验	应无泄漏	—	—

续表 F.0.1

检查项目	检测尺寸或部位		允许值(mm)	简图	备注
侧板安装精度	1. 侧板安装	侧板和立柱安装	a_{-1}^{+1}	侧板 立柱 a	—
		侧板和T型钢安装	b_{-0}^{+2}	侧板 T型钢 b	—
	2. 焊缝外观检查		符合焊缝质量标准	—	—
	3. 焊缝渗透泄漏试验		应无泄漏		咬边 $e \leqslant 0.5$
	4. 焊缝用砂轮磨平		$_{-1}^{+0.5}$		—
活塞支架安装精度	—	—	$L \pm 5$ $H \pm 3$ $B \pm 3$	B L H	活塞支架的相对高差 $\leqslant 4$

续表 F.0.1

检查项目	检测尺寸或部位	允许值(mm)	简　图	备　注
导轮安装精度	1. 导轮支架桁架垂直度	≤1/2000	—	—
	2. 导轮支架中心与立柱中心偏差	±5	—	—
	3. 导轮中心与立柱中心偏差	±3	—	—
	4. 导轮支架标高	±5	—	—
	5. 各柱导轮支架相对标高	±5	—	—
	6. 上、下导轮中心距离	±10	—	—
	7. 导轮支架螺栓孔距离	±2	—	—
	8. 导轮支架立柱至侧板内侧	±5	—	—
防回转装置安装精度	1. 防回转装置中心与立柱中心	±1	—	—
	2. 防回转装置与导轨一侧间距 L_1		—	—
密封橡胶安装精度	1. 安装孔 φ	±1	—	橡胶分段搭接处应在预安装完成后拆下，用橡胶粘结剂粘上搭接处后，再紧固安装螺栓
	2. 相邻两个安装孔中心距离 P	±0.2	—	
	3. 安装孔距离偏差	±0.5	—	
	4. 安装孔中心距离密封端面的距离偏差	±0.5	—	

续表 F.0.1

检查项目	检测尺寸或部位	允许值(mm)	简　　图	备　　注
电梯竖井安装精度	垂直度 L/H	$L/H<1/1000$，但 $L\leqslant30$	—	L 为偏差尺寸；H 为总高
安全放散管安装精度	垂直度 L/H	$L/H\leqslant1/1000$，但 $L\leqslant30$	L H	L 为尺寸偏差，H 为总高
密封装置安装精度	1. 最上层密封橡胶顶面水平度	±5	—	—
	2. 密封橡胶与侧板间隙	≤0.5	—	—
预备油箱	溢流口水平度	±1	—	—
煤气进出口管	1. 焊缝外观检查	符合设计文件规定	—	—
	2. 以煤气柜的工作压力做泄漏试验	应无泄漏	—	—

表 F.0.2 圆筒型稀油柜质量最终验收主要项目

检查项目	检测尺寸或部位	允许值(mm)
柜整体安装精度	1.每根立柱(自上而下)的径向偏差	±25
	2.柜体任意截面的椭圆度	±6

附录G 橡胶膜柜质量要求

G.0.1 在橡胶膜柜柜体施工全部结束后进行验收有困难的项目，应在施工过程中进行验收。橡胶膜柜验收，除应符合现行国家标准《钢结构工程施工质量验收规范》GB 50205 等的有关规定外，还应符合表 G.0.1 的规定。

G.0.2 橡胶膜柜的最终验收内容应按表 G.0.2 的有关规定执行。

表 G.0.1　橡胶膜柜质量中间验收主要项目

检测项目	检测尺寸或部位	允许误差(mm)	简　图	备　注
基础标高施工误差	1. 侧板部标高	≤±5	—	—
	2. 两立柱间标高	≤±5		—
	3. 基础各测点的拱高	≤±20		各测点应符合设计文件规定
安装基准点精度	1. R_1	≤±2	基础中心 R_1 L_2 L_3 L_3 立柱地脚螺栓 L_1 R_1 R_2 基础中心	—
	2. R_2	$\leqslant^{+5}_{-10}$		—
	3. L_1	≤±5		—
	4. L_2	≤±5		—
	5. L_3	≤±2.5		—

续表 G.0.1

检测项目	检测尺寸或部位		允许误差(mm)	简图	备注
底板安装要求	1. 搭接长度		不小于设计文件要求尺寸	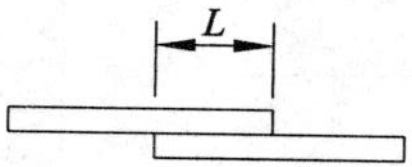 L	焊缝应符合设计文件要求
	2. 焊缝处以 27kPa 真空检漏		不得有泄漏		—
活塞底板安装要求	1. 搭接长度		不小于设计文件要求尺寸		焊缝应符合设计文件要求
	2. 焊缝处以 27kPa 真空检漏		不得有泄漏		—
第一根立柱安装精度	1. 各立柱间距离		$L \leqslant \pm 5$	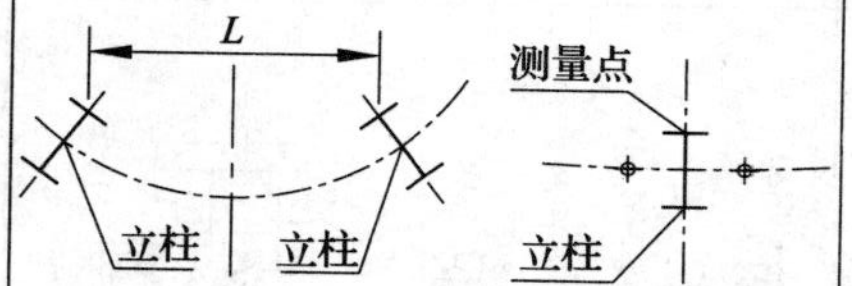 L；测量点；立柱；立柱；立柱	—
	立柱顶面标高	相邻立柱间	$\leqslant \pm 5$	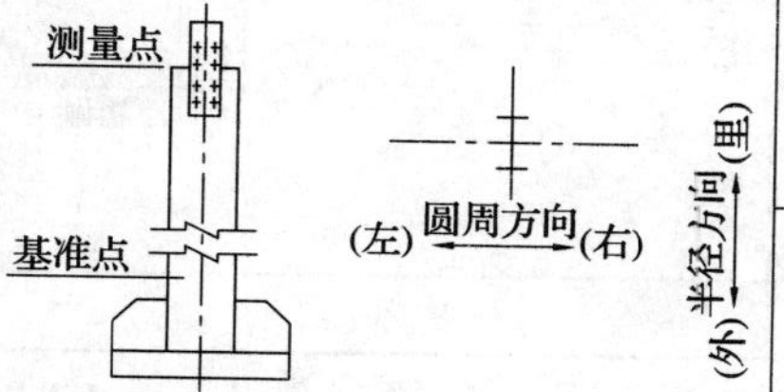 测量点；基准点；(左) 圆周方向 (右)；(外) 半径方向 (里)	—
		各立柱间	$\leqslant \pm 10$		—

续表 G. 0. 1

检测项目	检测尺寸或部位		允许误差(mm)	简图	备注
第一根立柱安装精度	垂直度	圆周方向	$\leqslant +5$	测量点 基准点 圆周方向 (左) (右) 半径方向 (外) (里)	—
		半径方向	$\leqslant ^{+7}_{-3}$		—
中间各立柱安装精度	与第一根立柱相同		与第一根立柱相同	测量点 基准点 圆周方向 (左) (右) 半径方向 (外) (里)	—

续表 G.0.1

检测项目	检测尺寸或部位		允许误差(mm)	简图	备注
最高一根立柱安装精度	立柱顶面标高	1.相邻柱之间	≤±10	—	—
		2.各立柱之间	≤±15	—	—
	各立柱之间距离(顶部距离)		≤±5	—	—
	垂直度	1.圆周方向(与下一根立柱)	≤±5	测量点 基准点 (左)圆周方向(右) 半径方向 (外)(里) 基准点 (左)圆周方向(右) 半径方向 (外)(里)	—
		2.半径方向(与下一根立柱)	$\leqslant^{+7}_{-3}$		—
		3.圆周方向(与第一根立柱)	≤±25		—
		4.半径方向(与第一根立柱)	≤±35		—

续表 G. 0. 1

检测项目	检测尺寸或部位	允许误差(mm)	简　图	备　注
侧板安装要求	1. 侧板的搭接长度	符合设计文件要求，不得泄漏气体	—	有气密性处
	2. 焊缝渗透泄漏试验或涂肥皂水检验		—	
柜顶梁外环板安装精度	1. 水平度	≤±5	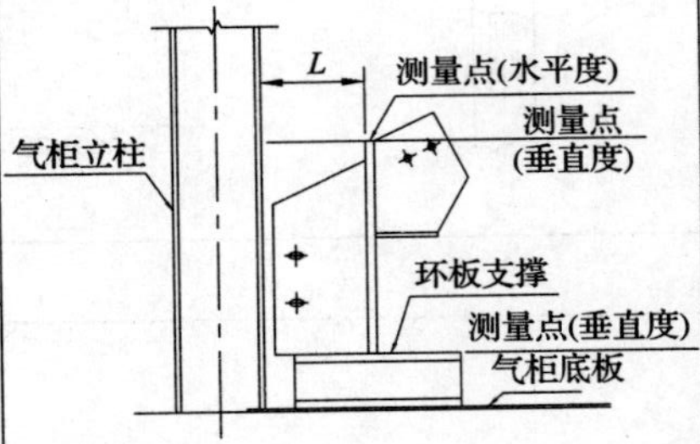 气柜立柱; L; 测量点(水平度); 测量点(垂直度); 环板支撑; 测量点(垂直度); 气柜底板	—
	2. 垂直度	≤±4		—
	3. 立柱内侧到环板外面的距离	≤±5		—
柜顶板安装要求	1. 柜顶板搭接长度	不小于设计文件尺寸	—	—
	2. 焊缝表面质量检查	应符合有关标准要求	—	—

续表 G.0.1

检测项目	检测尺寸或部位		允许误差(mm)	简图	备注
T挡板台架安装精度	1. 垂直度		≤h/1000	—	h 为架台高度,mm
	2. 顶面水平度		≤±10	—	—
T挡板安装精度和要求	1. 底部安装尺寸	径向	≤+20	气柜立柱 L 侧板 T挡板	沿圆周测量点数
		水平度	≤±10		
	2. 组装后尺寸	径向垂直度	≤±20		—
		切向垂直度	≤±10		—
		水平度	≤±15		—
	3. 焊接质量		应符合设计		—
	4. 安装密封橡胶帘的型钢的油浸透		不得有渗漏		—
	5. 顶梁外周与侧板内壁的间距 L		≤±20		—
	6. 椭圆度		小于设计		—

续表 G.0.1

检测项目	检测尺寸或部位		允许误差(mm)	简图	备注
活塞挡板安装精度和要求	1. 底部安装尺寸(径向)		≤+20	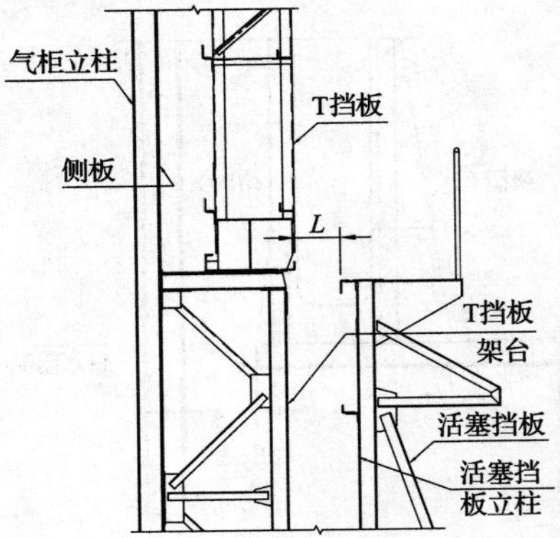 气柜立柱 T挡板 侧板 L T挡板 架台 活塞挡板 活塞挡板立柱	—
	2. 立柱垂直度	径向	≤+10		—
		切向	≤±10		—
	3. 立柱水平度		≤±10		—
	4. 焊接质量		应符合设计文件要求		沿圆周测量点数为立柱数量
	5. 安装密封橡胶帘的型钢的油浸透检查		不得有渗漏		—
	6. T挡板内侧与活塞挡板梁外周距离 L		≤±25		—
密封装置安装精度和要求	1. 外周密封橡胶帘的安装	螺孔个数	严格按设计	—	不得有累计误差
		螺孔间距	≤+0.5	—	
		上下螺孔中心偏差	≤+2	—	
	2. 内圈密封橡胶帘的安装	螺孔个数	严格按设计	—	
		螺孔间距	≤+0.5	—	
		上下螺孔中心偏差	≤+2	—	
	3. 密封橡胶帘固定处的气密性		在工作压力下	—	涂肥皂水检查

表 G.0.2 橡胶膜柜质量最终验收主要项目

检测项目	检测尺寸或部位		允许误差(mm)	简图	备注
T挡板及活塞的升降试验	1. 气体压力	最大 3000Pa	≤±150Pa	—	活塞升降速度控制在0.2m/min～0.5m/min
		最小 2500Pa	≤±100Pa	—	
	2. 活塞倾斜		≤±30	—	
	3. 活塞偏移	T挡板与侧板间距	≤±120	—	
		T挡板与活塞挡板间距	≤±120	—	
快速升降试验	T挡板与侧板间距		≤±150	—	升降速度速度控制在0.5m/min～2.0m/min升降速度应逐步提高(由现场决定)

本规范用词说明

1 为便于在执行本规范条文时区别对待，对要求严格程度不同的用词说明如下：

1)表示很严格，非这样做不可的：

正面词采用“必须”，反面词采用“严禁”；

2)表示严格，在正常情况下均应这样做的：

正面词采用“应”，反面词采用“不应”或“不得”；

3)表示允许稍有选择，在条件许可时首先应这样做的：

正面词采用“宜”，反面词采用“不宜”；

4)表示有选择，在一定条件下可以这样做的，采用“可”。

2 条文中指明应按其他有关标准执行的写法为：“应符合……的规定”或“应按……执行”。

引用标准名录

《建筑结构荷载规范》GB 50009
《建筑抗震设计规范》GB 50011
《室外排水设计规范》GB 50014
《建筑设计防火规范》GB 50016
《工业建筑供暖通风与空气调节设计规范》GB 50019
《城镇燃气设计规范》GB 50028
《乙炔站设计规范》GB 50031
《建筑照明设计标准》GB 50034
《建筑物防雷设计规范》GB 50057
《爆炸危险环境电力装置设计规范》GB 50058
《工业企业噪声控制设计规范》GB/T 50087
《工业电视系统工程设计规范》GB 50115
《火灾自动报警系统设计规范》GB 50116
《建筑灭火器配置设计规范》GB 50140
《钢结构工程施工质量验收规范》GB 50205
《电力工程电缆设计规范》GB 50217
《工业金属管道设计规范》GB 50316
《钢铁冶金企业设计防火规范》GB 50414
《石油化工可燃气体和有毒气体检测报警设计规范》GB 50493
《高炉煤气干法袋式除尘设计规范》GB 50505
《钢铁企业管道支架设计规范》GB 50709
《煤气余压发电装置技术规范》GB 50584
《工业设备及管道防腐蚀工程施工规范》GB 50726
《工业设备及管道防腐蚀工程施工质量验收规范》GB 50727

《消防给水及消火栓系统技术规范》GB 50974

《压力容器》GB 150

《热轧钢板和钢带的尺寸、外形、重量及允许偏差》GB/T 709

《锅炉和压力容器用钢板》GB 713

《碳素结构钢和低合金结构钢热轧薄钢板和钢带》GB 912

《紧固件机械性能　螺栓、螺钉和螺柱》GB/T 3098.1

《紧固件机械性能　螺母　粗牙螺纹》GB/T 3098.2

《碳素结构钢和低合金结构钢热轧厚钢板和钢带》GB/T 3274

《钢结构用扭剪型高强度螺栓连接副》GB/T 3632

《固定式钢梯及平台安全要求》GB 4053

《非合金钢及细晶粒钢焊条》GB/T 5117

《热强钢焊条》GB/T 5118

《工业企业煤气安全规程》GB 6222

《电梯制造与安装安全规范》GB 7588

《气体保护电弧焊用碳钢、低合金钢焊丝》GB/T 8110

《结构用无缝钢管》GB/T 8162

《输送流体用无缝钢管》GB/T 8163

《涂覆涂料前钢材表面处理　表面清洁度的目视评定》GB/T 8923

《钢制管法兰　技术条件》GB/T 9124

《热轧 H 型钢和部分 T 型钢》GB/T 11263

《焦化安全规程》GB 12710

《工业阀门　压力试验》GB/T 13927

《熔化焊用钢丝》GB/T 14957

《深度冷冻法生产氧气及相关气体安全技术规程》GB 16912

《压力管道规范　工业管道》GB/T 20801

《眼镜阀》GB/T 24917

《金属密封蝶阀》JB/T 8527

《贮气柜用橡胶密封膜》HG/T 4074

《钢制化工容器强度计算规定》HG/T 20582

《交流电气装置的接地》DL/T 621

《钢铁工业除尘工程技术规范》HJ 435

中华人民共和国国家标准

钢铁企业煤气储存和输配系统设计规范

GB 51128－2015

条 文 说 明

制 订 说 明

《钢铁企业煤气储存和输配系统设计规范》GB 51128—2015经住房城乡建设部2015年8月27日以第894号公告批准发布。

为便于广大设计、施工、科研和学校等单位有关人员在使用本规范时能正确理解和执行条文规定，规范编制组按章、节、条顺序编制了本规范的条文说明，对条文规定的目的、依据和执行中需注意的有关事项进行了说明，还对强制性条文的强制性理由作了解释。但是本条文说明不具备与规范正文同等的法律效力，仅供使用者作为理解和把握规范规定的参考。

目　次

1 总 则

1.0.1 本条阐述了制定本规范的目的和意义。煤气是钢铁企业生产过程中副产的优质燃料，是清洁的二次能源，在钢铁企业能源中有着重要的地位，占企业总能耗的比例为30%～35%。如何充分回收和合理利用煤气，是钢铁企业面临和必须要解决的问题，煤气储存和输配系统是综合利用煤气的有效手段和措施。

(1)在国家节能减排政策的引导下，国内煤气储存和输配系统工艺特别是煤气储存设施的技术发展很快，如干式煤气柜已成为钢铁企业必备的节能减排设施，每年带来十分可观的经济效益和社会效益。

(2)经过我国钢铁行业设计、施工和生产企业的共同努力，目前我国在煤气储存和输配系统的设计方面已处在世界的前列，本规范的制订汇集了国内各单位经过实践检验的最新技术成果，有利于新技术的推广和应用。

(3)本规范在设计要求、技术和安全等方面作了全面的规定，可避免主观等因素所造成的浪费或安全隐患，有利于减少建设用地，美化管网外观，提高煤气储存和输配系统的设计水平。

(4)钢铁企业的副产煤气主要是焦炉煤气、高炉煤气、转炉煤气和融熔还原炉煤气等，随着回收技术的不断改进和提高以及储存技术和调度水平的不断提高，副产煤气的放散率不断降低，部分企业已经基本做到了零放散。

1.0.2 本条规定了本规范的适用范围。本规范适用于钢铁企业生产过程中产生的高炉煤气、焦炉煤气、融熔还原炉煤气和转炉煤气等煤气净化、储存和输配系统的设计，不适用于焦化厂内焦炉煤气净化系统的设计和转炉煤气一次湿法或干法净化系统的设计。

本规范中高炉煤气的净化系统是指重力除尘器之后的湿法净化系统，高炉煤气干法净化系统的设计可按现行国家标准《高炉煤气干法袋式除尘设计规范》GB 50505 的有关规定执行。本规范中焦炉煤气的净化系统是指焦化厂外焦炉煤气的二次净化系统。本规范中转炉煤气的净化系统是指一次湿法净化系统之后的二次净化系统，转炉煤气一次湿法净化系统和干法净化系统的设计规范正在编制之中，届时该部分的设计可按该规范执行。

融熔还原炉煤气的净化系统设计可参照高炉煤气执行。因非焦煤炼铁工艺生产的煤气回收技术尚未成熟，所以本规范未纳入。

由于每个企业的能源结构各不相同，国内部分企业引入天然气和液化石油气作为能源的调剂和补充。鉴于已有关于天然气和液化石油气方面的国家标准，如现行国家标准《城镇燃气设计规范》GB 50028 等，因此天然气和液化石油气的储存和输配系统的设计不纳入本规范。

1.0.3 本规范具有很强的针对性，在制订过程中已经与国家相关标准进行了协调。

现行国家标准《工业企业煤气安全规程》GB 6222 自 1986 年颁布施行，2005 年又进行了修订，该标准对加强我国工业企业的煤气安全生产、回收和使用发挥了重要作用，很大程度上减少了煤气中毒、着火和爆炸事故的发生，为保障人员安全与健康作出了积极贡献。因此，凡现行国家标准《工业企业煤气安全规程》GB 6222 已经规定的内容，本规范原则上就不再重复规定，应执行其有关规定。

国家安全监管总局《关于印发进一步加强冶金企业煤气安全技术管理有关规定的通知》(安监总管四〔2010〕125 号)针对现行国家标准《工业企业煤气安全规程》GB 6222 在执行中存在的不足或缺陷，就进一步加强冶金企业煤气安全技术管理提出了 19 条规定，本规范部分予以采纳。

2 术 语

“术语”是根据《标准化工作导则》GB/T 1.1 的编写要求而编制。

术语的选定原则是与本规范直接相关，与设计有直接联系且必须明确的概念作为选定的编写对象。经筛选，确定编写的“术语”中有关术语共 29 个。

2.0.6 干式煤气柜分稀油密封型煤气柜和橡胶膜密封型煤气柜，稀油密封型煤气柜分多边形稀油密封型煤气柜和圆筒形稀油密封型煤气柜。本规范中干式煤气柜简称煤气柜，稀油密封型煤气柜简称稀油柜，橡胶膜密封型煤气柜简称橡胶膜柜。

2.0.11 干式煤气柜的实际容积不宜小于公称容积，通常以公称容积来标注煤气柜容积。

2.0.14 多边形稀油柜内径指外接圆内径。

2.0.19 工况流量系标准状态流量乘以工况系数。

2.0.22 确定计算压力的目的是为了计算管道(或设备)的水封高度、确定泄漏性试验和强度试验的压力。

2.0.23 隔断装置用于煤气管道上，被要求具有切断煤气保持煤气不泄漏到被隔离区域的功能，需强调的是具有“保持”隔离的功能。具有此功能的装置可以是一个独立的设施，也可以由组合的设施组成。

3 总平面布置

3.1 煤 气 柜

3.1.1 煤气柜分为湿式煤气柜和干式煤气柜,湿式煤气柜采用水密封,存在基础荷载大、储气压力低、压力波动大、易腐蚀、煤气含湿量大、自动化水平低和环境污染大等缺点,已基本被干式柜所取代。随着清洁生产、安全生产和环保生产的需要日益迫切,应逐步淘汰湿式煤气柜,新建的煤气柜应选用干式煤气柜。本规范中的煤气柜均为干式煤气柜。

3.1.2 关于煤气柜与建(构)筑物、储罐、堆场的防火间距,现行国家标准《建筑设计防火规范》GB 50016—2014 中第 4.3 节已有明确规定,本规范应遵照执行。

1 稀油柜的油泵房(站)、电梯机房和煤气安全放散管等是稀油柜本体的附属设施和不可分割的一部分,可按工艺要求合理布置。进入煤气柜前的喷雾冷却泵房作为稀油柜配套运行的设施(装置),要求其与该干式柜的防火间距不宜小于 6m。

2 干式柜配套运行的电捕焦油器、电除尘器和加压机等露天燃气工艺装置与该干式柜的防火间距不宜小于 6m,是考虑这些设备和干式煤气柜安全运行的基本需要。

在计算防火间距时,室外布置的电捕焦油器、电除尘器和加压机等露天燃气工艺装置以设备本体水平投影的外缘为基准。

3 煤气柜与烟囱的最小水平距离除应符合现行国家标准《建筑设计防火规范》GB 50016 的有关规定外,还要考虑烟囱高度因素。由于烟囱出口处一般散发着火花,当烟囱倾倒后,火花将直接对煤气柜构成火灾危险,适当增加安全系数,因此本条规定“煤气柜与烟囱的最小水平距离不应小于烟囱高度的 1.1 倍”。

3.1.3 关于煤气柜、固定容积煤气储罐和助燃气体储罐之间的防火间距，现行国家标准《建筑设计防火规范》GB 50016—2014 中第4.3 节已有明确规定，本规范应遵照执行。

3.1.4 关于煤气柜与铁路、道路的防火间距，现行国家标准《建筑设计防火规范》GB 50016—2014 中第 4.3 节已有明确规定，本规范应遵照执行。

根据《铁路运输安全保护条例》(2005 年 4 月 1 日执行)，煤气柜与国家铁路要求间距是 200m；根据《公路安全保护条例》(2011年 7 月 1 日执行)，煤气柜与公路要求间距是 100m。因此，本规范规定的"煤气柜与铁路、道路的防火间距"中的铁路和道路均为企业内的铁路和道路，以区别于国家铁路和公路。当设计中遇到煤气柜周围有国家铁路和公路时，应按上述两个条例执行。

3.1.5 当设计采用金属栅栏围墙时，由于消防通道可以利用金属栅栏围墙外的道路，因此金属栅栏围墙与柜体外壁的间距可适当缩小但不应小于 6m，且金属栅栏围墙与电梯机房或油泵站房等附属设施的净距不宜小于 5m。

3.1.6 煤气柜与架空电力线的最小水平距离依据现行国家标准《建筑设计防火规范》GB 50016—2014 中第 10.2.1 条"可燃、助燃气体储罐与架空电力线的最近水平距离不应小于电杆(塔)高度的1.5 倍"之规定。

由于煤气柜的危险性较高，现行国家标准《钢铁企业总图运输设计规范》GB 50603 表 7.3.6 规定：可燃气体储罐与架空电力线的水平净距不应小于 1.5 倍杆(塔)高度。

3.1.7 本条是根据现行国家标准《建筑设计防火规范》GB 50016第 7 节的有关规定编制的。总图布置中，如果站内全部设置消防道路较为困难，而气柜站区周围道路条件可以满足消防要求的条件下，在满足本规范第 3.1.4 条的前提下可以利用柜区外的道路作为煤气柜消防通道。

3.1.8 煤气柜作为储存具有可燃、易爆、有毒气体的燃气设施，气柜容积较大，高度较高，一旦发生事故，其危害程度较高。设两个进出口，是为了一旦事故发生，在其中一个出口被堵塞或存在安全问题时，可以通过另一个出口对人员进行疏散以及消防和救护设备、人员的通行。

3.1.9 国内钢铁企业中大多数煤气柜区为有人值守，但随着自动化水平的不断提高，有条件的钢铁企业可将管理室合并至能源管理中心，实现煤气柜区的无人值守。

3.1.10 现行国家标准《钢铁冶金企业设计防火规范》GB 50414—2007第4.1.5条对厂区绿化作了基本规定。厂区绿化应选择难燃树种或水分大、油脂及蜡质少的常绿矮树种。厂区绿化不应妨碍消防操作，不应在室外消火栓及水泵结合器四周1.0m以内种植乔木、灌木、花卉及绿篱。

3.2 煤气净化站

3.2.2 本条规定根据现行国家标准《工业企业煤气安全规程》GB 6222—2005 第4.13条的有关规定制定。

3.2.5 本条规定根据现行国家标准《钢铁冶金企业设计防火规范》GB 50414—2007 第6.13.4条制定。露天设备指各单独设备，如洗涤塔、除尘器等，其防火间距是根据工艺流程畅通、靠近布置来确定，但不应影响施工、操作和维修等要求。

3.2.6 现行国家标准《工业企业煤气安全规程》GB 6222—2005第5.3.1条、第5.4.1条、第5.6.1条分别对高炉煤气、焦炉煤气、转炉煤气的净化站区域布置作了较全面的规定，设计时应予以执行。

3.3 煤气混合站

3.3.1 可根据钢铁企业煤气管网布置和煤气用户的位置统筹考虑煤气混合站的位置。可集中设置区域性的煤气混合站，也可为某(几)个用户单独设置煤气混合站。

3.3.2 本条为强制性条文，必须严格执行。煤气混合站一般为两种介质或三种介质混合，各支路上都设有切断装置、调节装置、检测装置及管道附属设备等设施，其管线直管段要求较长，所以混合站占地面积较大，没有必要设厂房。

混合站煤气管道附件如切断装置、调节装置、检测装置及其他管道附属设施等存在泄漏气体的可能，由于地下室或半地下室的通风条件较差，煤气泄漏后不易扩散，易积聚而引起中毒和爆炸事故，因此规定严禁布置在地下室或半地下室。

煤气混合站为室外架空布置，其组成主要为架空煤气管道及切断装置、调节装置、检测装置、管道附属设备等设施，可等同于架空煤气管道，其与建(构)筑物、铁路、道路和其他管线间的最小水平净距和最小垂直净距应符合本规范第8章的有关规定。

3.3.3 当煤气混合站和加压站集中布置时，混合站的管理室宜并入加压站的管理室内，以便于集中控制与管理。

3.4 煤气加压站

3.4.1 煤气加压站的位置可根据钢铁企业煤气管网布置和煤气用户的位置统一考虑；或集中设置区域性的煤气加压站，或为某(几)个用户单独设置煤气加压站。

本条中第5款为强制性条文，必须严格执行。煤气加压设备和煤气隔断装置在正常生产条件下一般不会泄漏煤气，但在设备检修和阀门操作过程中会泄漏少量煤气。如果站房下方设地下室，其泄漏的煤气会沿着裂缝、套管等到达地下室或半地下室并聚集，造成危害人身安全的事故。

3.4.2 本条为强制性条文，必须严格执行。本条规定根据现行国家标准《建筑设计防火规范》GB 50016并结合煤气加压站的工艺特点而制定。

本条中企业外铁路和道路是指非国家铁路和非国家公路。国家铁路和国家公路的安全距离应符合《铁路运输安全保护条例》和

《公路安全保护条例》的有关规定。

本条中有关防火间距均为煤气加压站的最小间距要求。从防火角度和保障人员安全、减少财产损失来看，在有条件时，设计者应尽可能采用较大间距。

3.4.3 煤气加压站的管理室等辅助房间一般设在主厂房的端部或附跨，有条件的钢铁企业可将管理室合并至能源管理中心。

4 煤气储存

4.1 一般规定

4.1.3 本条所列的煤气柜设计压力和储存的气体介质种类均可以扩大和增加，以满足技术发展的实际需要。

4.1.4 本条规定煤气柜柜体设计寿命不宜低于30年，是指煤气柜柜体的主要钢结构件，如立柱、侧板、回廊(抗风桁架)、柜顶桁架、活塞桁架、活塞架台、柜顶板、柜底板和活塞底板。不包括煤气柜中的易损件(如密封装置、导轮、挡轮、防回转装置和各种滑轮等)。

4.1.6 第7款中，气体保护焊部位宜用于侧板与侧板、侧板与立柱的内侧连接。当外部条件不适合于采用气体保护焊时，可用自保护电弧焊。

4.1.7～4.1.10 这几条列出了两种煤气柜柜体上应设置的工艺配管和附属设施。应该指出，这几条中所列出的这些工艺配管和附属设施仅是基本的和常用的，具体设计时应根据工程具体情况确定。如稀油密封型煤气柜可以合用一根煤气进出口管，也可以分别设置煤气进口管和出口管；对于在南方地区使用的稀油密封型高炉煤气柜，经论证后可以不用底部油沟加热管。又如橡胶膜密封型煤气柜，当煤气加压站内加压机进出口总管之间已设置了大回流管，柜体上也可以不设煤气回流管，另外还可以设合成煤气进口管等。

第4.1.9条第4款中，稀油柜柜体上部设置煤气紧急放散管，是为了在特殊情况下如阀门连锁控制失灵，操作失误等特殊情况下通过紧急放散管放散柜内煤气，防止活塞冲顶，是最后一道安全措施，紧急放散时活塞油沟内的密封油会随气流沿紧急放散管道冲出柜外，活塞油沟密封油的安全高度可能不够，活塞上部煤气浓度会迅速增加，紧急放散是一种事故状态。因此煤气紧急放散管不应当作煤气正常放散使用。

橡胶膜密封煤气柜的活塞可以设计成一段或两段。从理论上分析，一段活塞的压力最稳定，活塞的段数越多气柜工作压力波动就越大。只要密封橡胶膜长度和技术参数满足要求，可以采用一段式活塞。因此规定橡胶膜密封型煤气柜的活塞可以设计成一段或两段。鉴于目前一段式橡胶膜密封型煤气柜的市场占有率较小，因此本规范未编入该部分内容，但不限制该柜型的技术开发和应用。

4.2 稀油密封型煤气柜

4.2.1 第1款、第2款中，稀油柜柜容的计算和确定中，本规范仅规定了高炉煤气柜和焦炉煤气柜柜容的计算中通常应考虑的基本因素。这些因素不是唯一的，工程设计中可根据具体工程的实际情况增减有关内容以满足工艺生产的需要。考虑到煤气柜容积计算没有一个固定的格式和取值，因此本规范没有给出具体的计算公式。对于COREX煤气和铁合金电炉煤气柜柜容的计算，可以根据不同的工艺情况参照执行。

第3款中，煤气柜公称容积的确定中，本规范列出了从10000m^3～300000m^3共11个常用的系列规格，一般已经够用。如因工程特殊需要，经有国家甲级资质的设计单位的论证，也可以再增加新的规格。

4.2.2 第8款中，活塞运行冲顶的保安高度为紧急放散管延时冲顶期间内活塞上升高度与紧急放散管开始放散时活塞减速上升运行到停止上升的一段距离之和。

4.2.3 第4款中，多边形稀油密封煤气柜活塞的作用是放置且支撑活配重块、支撑密封装置、维系活塞平衡；圆筒形稀油柜箱形梁的作用是充装配重、支撑密封装置、支撑活塞穹顶维系活塞平衡。活塞球形拱主要作用是密封气体，提供进出活塞上的检修平台与操作平台。在与柜体立柱对应的活塞周边桁架上装有导轮和防回转装置。

多边形稀油密封煤气柜活塞骨架宜采用放射形平底桁架，中部设环梁，桁架与环梁相连，桁架与桁架之间设支撑，桁架的榀数与立柱的根数相对应。圆筒形稀油柜活塞内部球壳宜采用径向与环向骨架加劲的球壳结构。

4.2.5 第1款对密封油应具有的理化性质作了定性规定，工程应用中应根据具体情况进行定量要求。

4.2.6 第1款第7项中，正常情况下煤气进出口管坑需要进行维护的工作量较少，通常需要维护的内容主要为坑中排水水封坑淤泥和杂物的清理以及通风设施的维护。考虑到进出口管坑为1区爆炸危险区域，存在一定的安全隐患，根据国家安全监管总局《关于印发进一步加强冶金企业煤气安全技术管理有关规定的通知》(安监总管四〔2010〕125号)的有关规定，要求坑内设置固定式一氧化碳报警装置和强制通风设施。当人员需要进入检修前，应进行充分的通风换气，佩戴煤气防护设施和便携式CO报警器后方可进入。

第2款中，在稀油柜活塞有冲顶危险的情况下，可打开煤气安全放散管上的阀门放散煤气以防止活塞冲顶。

第4款中，煤气紧急放散管是防止稀油柜活塞冲顶设置的最后一道过剩煤气放散装置，以避免活塞冲撞柜顶。

第6款中，煤气柜的底层侧板上每隔30m，宜设置1个底部油沟清扫管，这是根据目前设计中采用的经验数据。

第7款：检修风机接管座可与侧板人孔共用。气柜留有检修风机接管座，安装调试时用于接上风机向柜内送入空气，驱动活塞升降。气柜投入运行后接管座用法兰盖密封，在气柜大修需要时仍可再次接上风机。

4.3 橡胶膜密封型煤气柜

4.3.1 橡胶膜柜公称容积的确定中，本条列出了从$10000m^3$～$200000m^3$共9个常用的系列规格，一般已经够用。如因工程特殊需要，经有国家甲级资质的设计单位的论证，也可以再增加新的规格。

4.3.4 第3款第6项中，吊耳数量也可由橡胶模制造厂家确定，或不设吊耳采用夹板。密封橡胶膜除应考虑满足使用要求之外，还应考虑安装或吊装过程中自重问题，必要时应对橡胶膜上下开孔处进行加强。吊装装置由橡胶膜制造厂提供。

4.3.5 调平装置是活塞在运行中保持水平状态的装置，多组调平配重根据立柱数量一般沿圆周呈正三角对称或正五角形布置，也可采用均匀布置方式，保证活塞受力均匀。每组都由从活塞径向两点引出的钢绳、滑轮和配重所组成。当活塞倾斜时，受拉的一段钢绳会反方向的对活塞的倾斜自动地校正。

4.3.6 第2款中，自动和手动放散装置的主要功能：当活塞达到上限而且煤气继续送入的情况下，由机械联锁装置自动打开设于气柜上部的放散阀放散煤气。当气柜内进行空气吹扫和煤气吹扫时，也使用该放散装置，此时可用涡轮式手摇绞车手动打开。

4.4 煤气柜构件表面处理与涂装

4.4.1、4.4.2 煤气柜是一座安装的设备，形体高大、结构复杂，储存的煤气不仅具有一定的毒性，而且还具有一定的腐蚀性，加之工作的大气环境较差，对气柜本体存在一定的腐蚀性。由于气柜运行周期较长，维修存在很大的困难和危险，因此气柜表面的除锈和涂装显得尤为重要。

本规范结合工程实践，依据现行国家标准《涂覆涂料前钢材表面处理　表面清洁度的目视评定》GB/T 8923 的有关规定，对煤气柜钢结构构件表面除锈的等级作了规定。由于气柜的薄板较多，表面处理量通常很大，应考虑构件的部位不同，将除锈等级加以区别，以减少不必要的浪费。

4.4.4 目前，气柜面漆的颜色还没有统一的规定，设计时应根据合同要求或与业主协商确定。煤气柜的整体防腐年限应不少于5

年的规定，是综合考虑了我国油漆的制造水平和涂装水平并根据目前行业的共识确定的。另外，由于气柜系高大型现场安装的设备，工作环境恶劣。活塞桁架和柜顶桁架的涂装存在一定的困难和危险，因此客观要求其整体防腐年限也不应少于5年。

4.5 煤气柜试验与验收

4.5.1、4.5.2 煤气柜的验收中，增加了中间验收。由于煤气柜是全焊接大型钢结构设备，一些隐蔽工程数据在柜体建成后无法进行检测和纠正，因此必须在施工过程中随时进行检验和纠正，不能等到建成后总调试时发现问题，就不好修复了。

中间验收主要由现场监理、业主、施工管理人员和设计单位现场服务人员来进行。

本规范的最终验收的项目及要求，与现行协会标准《多边形稀油密封煤气柜工程施工质量验收规范》CECS 186和《橡胶膜密封储气柜工程施工质量验收规范》CECS 267不完全相同。本规范增加了：

(1)快速升降试验的速度范围和试验时间；

(2)快速升降试验时的直观质量要求；

(3)对一些验收数据进行了修改。

使用时可以进行互相补充。

4.5.3 第2款中，外部泄漏点是指柜体以外的煤气附属设施，包括进出口管道、各放散管道、吹扫管道、排水管道等的阀门、法兰、焊缝等处。

5 煤 气 净 化

5.1 一 般 规 定

5.1.4 煤气净化系统的设计除了要满足用户对煤气质量要求外，还应考虑减少对环境的影响，降低运行费用和建设投资。

5.1.7 本条为强制性条文，必须严格执行。煤气净化系统供水主管是指净化系统的浊环供水主管以及用于减压阀组降噪等工业净化水的供水主管。供水主管若与如浴室、卫生间等其他用户相接，当供水主管停水等特殊情况下煤气可能会反流至相关用户，造成人员中毒身亡等重大事故，国内某些企业就曾出现过在减压阀组喷水降噪的生产净化水管上并接净化区域浴室或厕所冲洗用户的供水管道而导致人员煤气中毒事故。为避免该类安全事故的发生而制定本条规定。

5.2 高炉煤气净化

5.2.1 荒煤气管道煤气温度较高，为避免管道集尘对煤气流速有一定要求，同时为避免尘气对管道的磨损通常管道内部喷涂耐火泥或喷涂料，管道较重。强调洗涤塔应尽量靠近粗除尘系统布置可使高压侧的荒煤气管道距离尽量缩短，减少压力损失和管道集尘，提高系统的安全性，也便于集中管理与维护。此条是根据工艺的自身特性制定的。

5.2.2 本条所述计算压力参照《钢铁企业燃气设计参考资料》(煤气部分)第二章要求选择，泄漏性试验压力参照现行国家标准《工业企业煤气安全规程》GB 6222—2005 的第 5.3.3 条、第 6.4.6 条和第 7.2.3 条制定。

现行国家标准《工业企业煤气安全规程》GB 6222—2005 第

6.4.2 条对低压、高压高炉煤气管道的计算压力、设计压力给予界定。

虽然现行国家标准《工业企业煤气安全规程》GB 6222—2005在第 7.4.1 条要求高压高炉从剩余煤气放散管或减压阀组算起 300m 以内排水器水封有效高度不小于 3000mm，但从高炉实际生产操作情况看，高炉区域煤气主管压力波动较频繁，国内也有过清洗系统作业区排水器采用 3000mm 水封高度运行时因管网压力波动水封被击穿的事故记载，故从管网运行的安全性出发，高炉煤气净化区域 U 型水封的水封高度应不小于 4000mm，煤气冷凝水排出器水封高度也应不小于 4000mm。

5.2.3 本条参照《钢铁企业燃气设计参考资料》（煤气部分）第二章制定。

5.2.4 高炉正常生产工况条件下，荒煤气管道温度通常在100℃～300℃，煤气含尘 $3g/m^3$～$10g/m^3$，为避免尘气对管道的磨损通常管道内部喷涂耐火泥或喷涂料。参照《冶金工厂煤气工程》（H. E. 库纳柯夫）所述对有砌砖内衬的荒煤气管道近十年期间管道磨损情况的跟踪观测，煤气流速 18m/s～20m/s 时煤气管道内没有尘粒沉淀，管道内衬磨损不明显。《钢铁企业燃气设计参考资料》（煤气部分）第二章推荐流速为 15m/s，现行国家标准《高炉煤气干法袋式除尘设计规范》GB 50505—2009 第 3.2.13 条对荒煤气管道工况流速选择 15m/s～20m/s。

5.2.5 限制高炉煤气净化系统入口半净煤气含尘量目的在于要求提高粗除尘系统的除尘效率，以降低煤气净化系统环隙元件或椭圆调节阀的磨损，减少浊环水处理系统的污泥处理负荷和污水排放管道积存污泥量。

5.2.6 设置在线含尘实时检测和人工手动分析含尘、含水量取样接口便于及时了解煤气清洗系统的除尘效率，利于煤气系统的生产管理，确保煤气质量。

5.2.7 高压煤气流经减压阀组减压过程中因气流能量的转换变

化，会产生噪声和振动，阀组结构形式的不合理时会产生强烈涡流或高频振动，造成阀体、管道振裂煤气泄漏的重大安全事故。为便于减压阀组阀门的安装与检修，通常阀组阀门多配用普通轴向型波纹补偿器，高压侧工作状态下的巨大盲板力若不采取措施控制于阀组内而传至管系，易造成管系支架承载不足的垮塌事故。为满足环保要求，减少阀组的噪声污染应采取喷水降噪或增设隔声罩等措施。

5.2.8 根据当今高炉技术发展的现状，通常将高炉炉容大于或等于 3000m^3 级的高炉定义为大型高炉。

高炉煤气是易燃有毒性介质，煤气清洗系统采用蒸汽吹扫时存在因温度变化不匀造成的设备筒体变形的可能，采用氮气吹扫安全且洁净。高炉煤气净化系统洗涤塔、脱水器筒体及大直径煤气管网容积大，采用常规氮气吹扫时间周期长，为提高处理煤气的工作效率建议设专门的置换风机。

5.2.9 高炉煤气净化系统设置必需的煤气管理室包括中央控制室、高低压配电室、化验室、更衣室等生产辅助设施，便于巡检、监视等生产管理的需要。为节省投资，煤气净化管理室可以和 TRT (BPRT、STRT)系统管理室合建。

5.2.10 煤气清洗系统的作业制度为连续制，两路供水总管的设计可以在一路水管出现故障时，确保另一路水管连续供水，使净化系统安全稳定的运行。水温、水量、水压是保证煤气清洗质量的关键参数，生产管理有必要实时监控。设置自冲洗过滤器可以实现不停水的在线清洗以保证供水悬浮物和杂质含量达标。设置水压低压报警是因为供水压力是判断供水管系是否正常工作的依据，当水压降低时喷嘴的喷洒角和喷水粒度不能达到要求，不仅煤气的降温和除尘收受到影响，而且也会因喷洒角角度不够，冷却水在塔内分布不均匀，不能完整覆盖整个塔体内截面，导致塔内部出现干湿分区集结坚硬难以清除的尘垢疙瘩，水压过低时还会出现塔内高压煤气串至供水管道内的安全隐患。

5.2.11 高炉煤气净化系统浊环供水系统的水质直接影响到煤气净化的效果，当供水温度过高煤气冷却效果不理想时，系统处理工况煤气流量偏大，为确保煤气质量，喉口阻损会相应增加，喷嘴及供水管道也易结垢，水中杂质和悬浮物超标易堵塞喷嘴，影响净化效果。采用弱碱性质的冷却水可以有效中和煤气中的酸性离子(如 Cl^- 等)，减少气体对净化设备的酸性腐蚀。本条参数的选择是根据多家企业多年运行参数记录总结并结合国内引进 PW、奥钢联环形缝隙洗涤塔供水系统技术要求而制定的。

5.2.13 环形缝隙洗涤塔内循环供水系统采用的是环隙精除尘段的排水，虽然荒煤气中大部分的尘粒已经经预洗段的排水排至沉淀池集中处理，环隙段的排水含泥负荷已经少很多，但由于泵送的仍是含有煤气的泥浆水，水中固形物尘泥含量约 4g/L，CO 的体积含量达 4%，故循环泵应选为防气蚀的渣浆泵。由于泵的启停与塔内的液位检测高低信号联锁，故泵的选型适应连续运转及频繁启停的工况。国内曾有企业选用高转速泵在有效工作期内连续出现泵轴断裂的事故记录，改选低转速泵后问题得以解决。

国内环形缝隙洗涤塔的运行记录中曾有过当高炉从高压转常压操作或 TRT 紧急停车时，内循环泵组管系出现气阻导致循环泵联锁停机的记录，这是由于环隙元件从正常生产的恒除尘差压控制快速转至高压煤气减压的炉顶压力控制，致使塔内环隙段排水承受的气体压力发生较大变化，排水中的煤气因压力变化大量逸出在管道中形成气阻致使循环泵无法正常吸入环隙段的排水而联锁停机。为此，循环泵组的进出水管道上设置相应的排气装置是必要的。

5.2.14 高炉煤气净化系统的洗涤塔、脱水器等设备处于煤气作业环境，系统运行工况下的设备在线检修维护有时需佩戴防毒面具等防护设施，平台、通道净空宽度不低于 800mm 才能满足防毒戴面具行走的空间需求。高炉区域大气环境较为恶劣，空气中粉尘含量高，平台通道选用钢格板可以不集灰尘和雨水。

5.2.15 由于目前国内标准法兰系列中最大公称直径，板式平焊法兰为2.0m、对焊法兰为3.0m，国外可参考的美国大直径法兰标准公称直径为64吋（约1625mm），为此对于炼铁煤气公称直径在2.6m以上的低压大直径法兰或设备检修孔配置非标法兰（如洗涤塔环隙元件或椭圆调节阀检修孔配置法兰）难以选取标准法兰，故本规范规定按照现行国家标准《压力容器》GB 150中的法兰章节，计算非标法兰。但为了经济性，大直径、工作压力0.25MPa～0.30MPa的法兰，可不必拘泥于标准法兰公称压力的级数规定按0.6MPa计，而按设计压力0.30MPa选取，工作压力在0.01MPa～0.05MPa的法兰按设计压力等于0.25MPa选取，是由于阀门行业标准如现行国家标准《金属密封蝶阀》GB/T 8527规定公称压力小于或等于0.25MPa法兰按0.25MPa等级制作。

现行国家标准《工业企业煤气安全规程》GB 6222—2005第5.3.2.3条中关于洗涤塔、文氏管洗涤器和灰泥捕集器的相关要求已有明确规定，本规范不再重复叙述。

5.2.17 环隙洗涤系统的核心部件是环隙元件，为了获得最佳除尘效率，同时保持最低磨损，通过环隙元件的气流必须分布极其对称。这就意味着环隙锥和文式管这两个部件必须精确对中。如果这两个部件不对中，环隙锥和文式管周边之间的环缝宽度就不均匀，气流的分布也就不合理。而由于水的密度比气体高，其运动惯量也较高，故通常在喷入的水的分布不会改变的情况下不对中的设备安装将导致环隙周边上L/G比（即水/气比＝水的质量流量与煤气的质量流量之比）的改变，导致煤气净化系统的性能恶化。

5.3 焦炉煤气净化

5.3.1、5.3.2 这两条是针对出焦化厂以后供应钢铁企业其他用户的焦炉煤气二次净化。一次净化系在（焦化厂）化产阶段完成，一次净化后的煤气杂质含量其数值难以满足工业企业相关特殊用户（如冷轧、连铸坯切割等）的使用要求，故需要进行二次净化。

脱硫工序脱硫塔数量不宜小于2座是为了便于装置的连续性生产。

5.3.3 第3款:常压氧化铁法脱硫工艺的设计有关款项的说明如下:

第1项:煤气通过干法脱硫设备的气速根据相关生产厂家的长时间操作实践,规定为流速宜取7mm/s～11mm/s。实践证明,当硫化氢含量较低时,适当提高流速并不影响脱硫效率。

第2项:在常压下操作,当气体硫化氢含量在$3g/m^3$以下时,则每$1g/m^3$的硫化氢需100s的接触时间,例如当硫化氢含量为$2.5g/m^3$时,所需的接触时间为250s。当气体中的硫化氢含量在$4g/m^3$～$8g/m^3$时,则所需的接触时间随硫化氢含量的变化不大,均为450s左右。

根据长期操作实践,煤气与脱硫剂的接触时间为130s～200s之间时仍能够维持较高的脱硫效率。因此本条文规定"煤气与脱硫剂的接触时间宜取130s～200s"。

第5项:干法脱硫剂量的计算公式是摘自现行国家标准《城镇燃气设计规范》GB 50028,该公式适用于硫化氢含量小于0.8%体积比(相当于$12g/m^3$左右),这符合一般人工煤气硫化氢含量范围。若采用该公式计算成型高效脱硫剂用量时,由于成型高效脱硫剂的密度偏小,计算所得脱硫剂量偏于保守。

第6项:常压氧化铁法脱硫设备的操作温度宜取25℃～35℃。操作温度不宜超过40℃,当超过40℃时反应生成的$Fe_2S_3 \cdot H_2O$开始失水而成为Fe_2S_3,在氧化时将产生硫酸盐,而使脱硫剂逐渐成为酸性,不能吸收酸性的H_2S,使脱硫剂活性大大降低;当操作温度过低时,反应生成的水不易除去,煤气中的水分在脱硫设备中冷凝,使含水氧化剂的活性表面减少而导致脱硫剂活性显著降低。

本项规定"每个脱硫设备应设置蒸汽注入装置"是为了在必要时可以增加脱硫剂的水分和保持脱硫反应温度,有利于提高和保持脱硫效率。水分在脱硫设备中能保持硫化氢与氧化铁的接触时间，并可以溶解部分盐类，防止其附着在氧化铁表面影响脱硫反应的进行。水分小于10%会影响脱硫操作。

第9项：根据煤气处理量和煤气含硫量确定脱硫设备的数量，由于需要定期停设备更换或再生脱硫剂，因此脱硫设备应设置备品。脱硫设备可以并联也可以串联操作，煤气流向可以由前向后、由后向前或依次向后轮换操作，以使新更换脱硫剂的设备处在最后，取得最好的脱硫效果。

煤气换向依次向后轮换操作的优点：

(1)保证在第一个脱硫设备内保持足够的反应条件；

(2)煤气将渐渐冷却，由于后面设备中氧仍能发挥作用使脱硫剂能良好地再生；

(3)可有效避免脱硫剂着火的危险。

5.3.4 溶剂常压吸收法脱萘工艺的设计有关款项说明如下：

第2款：最终洗萘塔可不设置备品，因为焦炉煤气精脱萘装置一般位于洗苯后与精脱硫之前，进入最终洗萘塔的煤气其杂质已很少，一般不易堵塔，更不需要长时间的维护，而且当洗苯塔操作良好时，可以暂时停止最终洗萘塔生产，进行清扫而不影响煤气净化效果。当用户对洗萘指标要求非常严格时，需设置备品，此时洗萘塔可一塔操作而另一台检修。

第4款：为避免煤气中的水分凝结到洗萘溶剂中，使洗萘溶剂乳化，要求进洗萘塔油温应高于煤气温度3℃。洗萘油槽设有间接蒸汽加热器来保持油温。

5.4 转炉煤气净化

5.4.1 炼钢转炉煤气回收一次湿法除尘在转炉车间完成，其净化后的煤气含尘量在100mg/m^{3}左右，甚至更高，其质量不能满足炼钢厂(车间)的钢包烘烤或其他工业用户的使用要求，应采用湿法电除尘等净化工艺进行二次净化。

5.4.2 考虑到在电除尘器后的煤气加压机入口处均设有低压报警信号,因此电除尘器的煤气入口管道可不设低压报警信号。

本条第4款为强制性条文,必须严格执行。转炉煤气中氧含量若控制不严,可能形成混合爆炸性气体,在静电除尘的环境中会发生爆炸,危及生命和财产安全,必须加以严格控制,确保安全。根据现行国家标准《工业煤气安全规程》GB 6222—2005第5.6.2.11条及《钢铁冶金企业设计防火规范》GB 50414的有关规定,控制电除尘器进口连续检测的氧含量小于1%,当转炉煤气含氧量大于或等于1%时,应自动切断高压电源。

6　煤气混合站

6.0.1　混合站的设计要统一考虑企业煤气平衡，各用户对煤气的热值、压力要求以及管网运行压力和总体布置等因素可以合理并经济地选择企业所需混合站的数量以及煤气混合的形式，优化企业能源分配，达到节能降耗的目的。

6.0.2　煤气的热值是根据煤气的主要组成分析结果，按组成的百分数计算而得。混合煤气的不同热值即是通过不同体积百分数的组分实现。为此，通过不同热值煤气的流量调节或动态跟踪混合煤气热值适时调节高、低热值煤气的混入量均是获得合适热值混合煤气的手段。

流量配比调节系统一般视参与混合的煤气热值是基本恒定的，这种方式可确保煤气体积混合流量比以及混合后的煤气压力不变，适应管网负荷变化的能力较强，但因调节范围较窄，调节效果受到一定的影响，多适用于煤气热值精度要求不高的用户。

实际生产中，企业副产煤气的热值是经常变化的，保持一定体积混合比的混合站因源气发热量的波动供给用户的煤气热值会有较大的变化，采用热值适时跟踪的自动调节系统，可以保证供给用户的煤气流量、热值恒定不变，有效降低用户的热耗量，达到精确、节能的效果。

6.0.6　合理选择混入角和混合器及其结构形式可以有效降低混合站的压力降。30°～45°的混入角是根据多种汇交形式实际运行阻损情况总结出的经验参数。

6.0.7　流量测量装置前后直管段的长度一般应根据流量计量装置的型式确定。对总图上有条件的地方，应优先采用流量孔板，总图布置有困难时可采用文丘里流量计、阿牛巴流量计、弯管流量计、转子流量计、涡街流量计、超声波流量计等。采用孔板流量计时，流量检测装置前后宜有不小于10倍和5倍管道直径的直管段，采用其他型式的流量计时，可根据流量计的特点和要求，适当缩短直管段长度。混合站调节装置前、后宜有5倍～8倍管道直径的直管段，以保证调节蝶阀的调节灵敏度。

6.0.10、6.0.11 钢铁联合企业各类煤气主管网的运行压力都不是很高，为不影响整个管网系统的输送压力，同时也为降低配套加压系统的能耗，混合站的允许压力降不宜取得过大。保证混合煤气正压运行且采取防止煤气互串的措施源于现行国家标准《工业企业煤气安全规程》GB 6222—2005第8.2.12条的相关要求。

6.0.12 混合站中的煤气管道并排布置且水平净距不小于800mm，便于阀门、检测装置的检修。作为一个独立的煤气输配作业单元，设置隔断装置是必需的。

7 煤气加压站

7.0.1 一个大用户配一个加压站可以节省电能，降低运行成本，更好地满足用户要求。

7.0.3 加压机所需的升压能力，不仅要考虑用户使用压力的要求，还应考虑进入加压站煤气压力、加压站自身的阻力损失以及加压站送至用户煤气管道的阻力损失。

7.0.4 加压机机前压力过低，可能会产生负压，造成空气吸入而产生混合爆炸的危险。因此，本条是从加压站安全的角度考虑而制定的。

7.0.5 加压机进口管道装收缩管，可以使煤气进入的速度分布均匀，减少压力降，一般收缩角宜为10°～13°。出口管设扩散管利于速度头变为压头，一般扩散角宜为6°～8°。为减少出口管道的阻力损失，出口管的内壁应平滑，故不宜直接与弯头连接。对于进出口处的弯头，因其本身截面积小于接管管道，流速高，管壁受冲刷，故应适当增加管壁腐蚀裕量。

7.0.7、7.0.8 同种规格、型号的加压机并联工作时，在输送能力上与单机工作时相比，并联运行管道压力降变大，机组的升压值提高相应会降低煤气的输出量，故机组的选型应综合考虑机组性能误差和并车系数。

7.0.9 每台加压机进口管道上设流量调节阀是对单机负荷的一种调节手段，视用户耗量的小幅波动可以随动调节。布置条件允许时设单机进出口连接的小回流管方便单机调试和开车控制，设站区大回流管道不仅可以调节单一加压机的最小工作流量，防止机组发生喘振，而且可以在进站低压煤气压力波动较大，压力较高时予以调节稳定进机煤气工况；当加压机事故停机时可以通过大回流管向机后管道输送管道充压所需的低压煤气量；在用户点火、开炉的开工初期，可直接通过大回流管向用户输送低压煤气。

采用变频电机或变频器的煤气加压机进口可不设流量调节装置。

7.0.15 加压机轴承采用润滑油的目的是为了润滑和冷却，如果润滑油管道材质采用碳钢，可能会带来两个问题，一是管道内壁的清洁度难以保证，二是长期运行和停产检修，油管道系统可能会返锈，因而会造成压缩机转动部件损坏。因此，一般要求油路系统采用不锈钢管道。如果因条件限制，为了节省投资，回油管道可采用碳钢材质，但其内部必须进行酸洗、钝化处理。

7.0.18 本条规定了压缩机的选型要求。选用相同型号的压缩机便于运行管理和维护及检修。设置备机是保证单机故障或维检期不间断供气的措施，根据运行经验，对多台并联运行的机组选择公称流量的80%～85%作为单机排气量是合适的。

7.0.19 本条提出进入压缩机煤气的品质要求是为了减少尘粒等对活塞、缸体的磨损和腐蚀，属于保护压缩机的措施。故在进气管道上应加设过滤装置。

7.0.21 本条规定了压缩机进、出口管道设置阀门等保护措施的要求。

压缩机进口有调节需要时，可在入口隔断装置后加设电动(气动、液动)控制阀。

压缩机进口管道设电动或气动控制阀可以与压缩机的电气开关联锁，在出口管道上设置止回阀可以避免邻机运行干扰，设置安全阀对压缩机实施超压安全保护。

7.0.25 本条依据现行国家标准《建筑设计防火规范》GB 50016—2014第3.6.9条："有爆炸危险的甲、乙类厂房的分控制室宜独立设置，当贴邻外墙设置时，应采用耐火极限不低于3.00h的防火隔墙与其他部位隔开"要求而设。可通过在加压机房或压缩机房内设置探头等措施监视设备的运行，以满足生产的需要，因此在加压机房或压缩机房与控制室之间的隔墙上不设开观察窗是可行的和必要的。

8 煤气管道

8.1 一般规定

8.1.1 煤气管道可采用金属与非金属材质，金属管道施工采用焊接工艺，适用于各种口径。非金属管道，如聚乙烯管道施工采用热熔工艺，主要适用于小口径的城镇燃气埋地管道。考虑到钢铁企业自身特点，煤气管道的口径较大、压力较低，并且钢板或钢管为行业自产自销，从经济性及施工的可操作性来权衡，煤气管道材质应采用金属材料－碳素钢或低合金钢。

8.1.2～8.1.4 煤气管道中的输送物质属易燃、易爆且有毒的介质，危害性极大。同时煤气管道的使用寿命也较长，从安全性与使用年限考虑，为保证煤气管道的焊接质量，对煤气管道间的连接应焊牢固与严密，故需采用对接接头的焊口方式。同时对公称直径大于或等于 800mm，因有条件进行双面焊的焊缝应采用双面焊。只有对碰头的最后一道焊口，因施工原因采用对接接头的焊口方式确有困难时，才可采用搭接板方式连接。

8.1.5 焊接钢管包括现行国家标准《低压流体输送用焊接钢管》GB/T 3091、《直缝电焊钢管》GB/T 13793、《流体输送用不锈钢焊接钢管》GB/T 12771 和钢板卷管等。

其中煤气管道用螺旋缝埋弧焊钢管的最小公称直径为 250mm，钢板卷管的最小公称直径推荐为 350mm，公称直径小于 350mm 时，钢板卷制有困难且不经济。

8.1.8 煤气管道的布置若非直线布置，可采用充分利用管道自身的偏移与起伏来吸收热变形的方案，这种自然补偿方式不仅节省投资而且管线安全稳定，应作为首选。管系是否具有足够的弹性，可通过管系弹性分析来判断。管系中若设有补偿器，应选用一次成型的金属波纹管型补偿器，此类补偿器的补偿量大，抗疲劳性强、稳定性及安全性高。针对干式除尘的高炉煤气管网，如氯离子浓度含量超过 25mg/l 时，补偿器应采取耐腐蚀措施，其补偿器中弹性元件，靠煤气侧的材质不能采用 300 系列不锈钢（如 304、316、321、316L），而应选用 Inconer600 或 Incoloy800 系列或 $254SM_0$ 不锈钢或内衬氟橡胶或聚四氟乙烯等耐腐蚀材料。

8.1.11 本条为强制性条文，必须严格执行。无论是对干式还是湿式煤气净化工艺，只要有冷凝水析出的煤气管道都应设冷凝物排出器。这不仅能保证管系的稳定、安全与流通面积还能降低对管道的腐蚀，冷凝物排出器即排水器，通常采用水封式密封。实际运行中已多次发生过煤气泄漏的事故并造成了人员伤亡，主要原因是管网压力波动较大，水封有效高度被短时击穿。故对现行国家标准《工业企业煤气安全规程》GB 6222 进行了修改，提高了水封有效高度，增强了煤气排水器的安全性。

8.1.12 圆形管道自重产生径向扁塌量 Δ 应不超过外径的 0.005。扁塌量 Δ 可按照下式计算：

$$\Delta = 2.93 \times 10^4 (q_z \cdot R^3 / E \cdot J) \tag{1}$$

式中：Δ——圆形管道自重产生的变形量（扁塌量）(mm)；

q_z——管道单位长度金属自重载荷(kg/m)；

R——管道外半径(mm)；

E——管道材料弹性模量(MPa)；

J——管道单位长度的周向断面惯性矩，$J = \delta^3 / 12\text{mm}^4$；

δ——管道设计厚度(mm)。

8.1.20 煤气管道通常要求的使用时间较长，考虑与高炉一代炉龄的匹配及钢铁企业的特殊性，煤气管道的设计寿命一般不应低于 15 年。但设计寿命可视为耐久性，与管道的使用、维护与腐蚀等诸多因素有关，它不是担保时间，只是一个能帮助业主进行维修计划的技术依据。

考虑到煤气管道的使用寿命与诸多因素有关,如管道材料的除锈等级、防腐材料的质量、管道工作的环境、介质种类、日常维护等。因此,本规范未给出具体的设计寿命期限,工程中应结合工程的具体情况和特点,综合考虑确定设计寿命或遵照合同双方约定。

8.1.23 煤气管道压力小于0.1MPa时,不属压力管道,应执行本规范。而对压力大于或等于0.1MPa且公称直径大于或等于50mm的煤气管道,属GC级压力管道,设计除执行本规范外,还要符合现行国家标准《压力管道规范 工业管道》GB/T 20801和《压力管道安全技术监察规程－工业管道》TSG D0001中的有关规定。若两标准有不一致处,应按严者执行。

8.2 管道布置

8.2.6 本条为强制性条文,必须严格执行。煤气管道在城镇燃气中可采用地下或地上敷设,主干管绝大部分为地下敷设,主要是受占地限制与市政美观的要求。而钢铁企业煤气管道用量较大,敷设的管道口径也较大,绝大多数煤气的一氧化碳含量较高。煤气管道需要时常巡检维护,地上敷设便于检查,发生泄漏故障时也容易快速处理。此外,煤气管道与全厂其他介质管道通常为共架敷设,可相应降低投资。故对钢铁企业煤气管道应采用架空敷设。尤其是对一氧化碳含量较高的煤气管道,埋地敷设时,泄漏的煤气可能会顺地缝窜到值班室、操作室等有人值守或时常有人巡查的地方,对人员造成中毒的伤害。国家安全监管总局(安监总管四〔2010〕125号)《关于进一步加强冶金企业煤气安全技术管理的有关规定》第十二条也明确规定:“严禁一氧化碳含量高于10%的煤气管道埋地铺设。”

8.2.7 现有管廊系根据当时的工艺参数和载荷进行设计的,如果在现有的管廊上增设管道,还必须对现有管廊的荷载和跨距进行核算,以确定其荷载和跨距是否能满足要求,避免造成因管道支架等不能承受增加的荷载而垮塌造成重大安全事故。

8.2.8 煤气管道可以采用有坡度设计,也可以采用无坡度设计。采用有坡度设计时,共架管道随其坡度共架敷设,煤气冷凝水排出器(排水器)的布置间距一般可为150m～200m,工艺设计和结构设计复杂,管道的外观美观性较差。采用无坡度设计时,排水器的布置间距一般可为100m左右,工艺和结构设计相对简单,管廊外观美观性较好。本规范推荐煤气管道采用无坡度设计,但也可以根据实际情况采用有坡度设计。

8.2.9 煤气属易燃、易爆且有毒的介质,危害性较大。由于管道腐蚀、积水和外在等原因,若敷设在燃料或木材仓库、民用建筑、重要公共建筑以及与煤气生产、使用无关的工业建筑的上方和沿输电线下面,一旦有煤气泄漏并发生燃烧与爆炸,将会迅速殃及周边相邻重要设施,使事态进一步扩大,人员及财产损失骤然增多,抢险救援更加困难。因此从安全角度考虑作出此项规定。但对于生产或使用煤气的车间或建筑物,因煤气用户使用点在车间或厂房内,煤气管道需进入其中,则要求该建筑物耐火等级不低于二级,煤气管道可沿该建筑物外墙或屋顶上敷设。

8.2.10 本条为强制性条文,必须严格执行。煤气属易燃、易爆且有毒的介质,危害性极大。由于管道腐蚀、积水和外在等原因,不应在存放易燃、易爆物品的堆场和仓库区内敷设;穿过生产装置及储罐区时,一旦有煤气泄漏并发生燃烧与爆炸,将会迅速殃及周边相邻重要设施,使灾害事故进一步扩大,人员及财产损失骤然增多,抢险救援更加困难。因此从安全角度考虑而将其制定为强制性条文。

8.2.11 煤气管道与铁路、道路之间交叉时交叉角度不宜小于45°,主要是考虑煤气管道口径较大,共架管道较多,其支架和基础较大,如果交叉角度较小,为避免支架及基础和铁路、道路路基碰撞,会造成管道跨距较大,布置困难;另一方面,交叉角度太小,也不利于管系的自然补偿。

8.2.12 架空煤气管道与同一支架上平行敷设的其他管道的最小并行净距与现行国家标准《工业企业煤气安全规程》

GB 6222—2005 第6.2.1.3 条一致。并强调了从安全角度出发，与煤气管道共架敷设的其他管道的操作装置，应避开煤气管道法兰、盲板和盲板阀等易泄漏煤气的部位。

8.2.13、8.2.14 架空煤气管道与建筑物、铁路、道路和相邻管道间的最小水平净距与现行国家标准《工业企业煤气安全规程》GB 6222—2005一致。架空煤气管道与构筑物、铁路、道路和相邻管线交叉的最小垂直净距与现行国家标准《工业企业煤气安全规程》GB 6222—2005 不完全一致，对有些项目的数据进行了修改并增加了一些项目，如：距厂区铁路轨顶面现行国家标准《工业企业煤气安全规程》GB 6222—2005 为 5m，但随着机车的发展及安全要求的提高现行国家标准《钢铁企业总图运输设计规范》GB 50603—2010中已将机车分为标准轨与窄轨，分别定为 6.0m 与 4.9m。距人行区域室外地坪现行国家标准《工业企业煤气安全规程》GB 6222—2005 为 2.2m，从以人为本的安全出发现行国家标准《钢铁企业总图运输设计规范》GB 50603—2010 中已定为 2.5m。高炉煤气净化区域的输送管道、减压阀组与消音器在实际工程中因流速较快，管系、设备及操作平台的振动均较大。为有利于管系及设备的安全，本标准对高炉煤气输送管道、减压阀组与消音器距地面净距由现行国家标准《工业企业煤气安全规程》GB 6222—2005 不应低于 8m，改为不应低于 6m，而对其他煤气管道位于车行区域距路面净距不应低于 5m（此条与现行国家标准《工业企业煤气安全规程》GB 6222—2005 是一致的），增加了对于车与人均不需从下方经过的煤气管道，如地坪上的煤气调压站，荒地上的煤气管道，为降低管道支架投资，只需地面排水及涂装要求，距地面净距不应低于 0.3m。在实际工程中，对生产与使用煤气的车间，其煤气管道可能沿建筑物屋顶敷设，故增加了距屋顶不应低于 0.8m 的要求（此条与现行国家标准《煤气余压发电技术规程》GB 50584—2010 是一致的），对人行道上方设有盲板和盲板阀（敞开式）的煤气管道，因操作盲板和盲板阀（敞开式），会产生煤气外泄，存在对行人造成危险的隐患，故其距地面净距不应低于6m。TRT进、出口煤气管道上的隔断装置高度可根据现行国家标准《煤气余压发电技术规程》GB 50584而定，如采用敞开式插板阀距地面净距不应低于6m，如采用封闭式插板、蝶阀及快切阀距地面净距可根据工艺要求确定。在实际设计与应用中，煤气管道与皮带通廊并行或交叉敷设的情况常有发生，可将皮带通廊视为一般建(构)筑物，当并行敷设时，最小水平净距为3m，与现行国家标准《钢铁企业总图运输设计规范》GB 50603—2010一致。当交叉敷设时，无论煤气管道是在其上方或下方，最小垂直净距均为0.5m，主要是考虑了施工安装及维护、涂装的要求。

架空煤气管道与电力机车交叉的最小水平距离和最小垂直净距应符合现行国家标准《发生炉煤气站设计规范》GB/T 50195—2013中附录A和附录B的有关规定。

条文明确了供煤气管道使用的动力电缆(380V及以下)和信号电缆可以随煤气管道共架敷设，并强调了从安全角度出发，煤气管道专用电缆应避开煤气管道法兰、盲板和盲板阀等易泄漏煤气的部位。

条文还规定了煤气管道可以沿与煤气无关的建筑物外墙敷设的4个条件，主要是考虑到钢铁企业总图布置相对紧密，经常会出现只有从某一建筑物外侧通过，才能到达用户的唯一路径，因此本规范在规定了严格的限定条件后允许煤气管道沿建筑物外墙敷设，也是给了无法敷设煤气管道的特定条件下的一种出路。焊缝应首选射线检测，若受条件限制，射线检测确有困难时，可采用带记录的超声波检测，并应征得设计和建设单位的同意。

第8.2.14条中人行区域指与煤气运行无关的人员通行的区域。非车行和人行区域指车辆不能通行及无关人员不允许滞留的区域(仅与煤气运行有关的检修与维护人员可以到达的区域)。

与煤气管道配套的煤气分析仪室包含了煤气成分分析、热值分析、氧含量分析、含尘量分析等相关分析设备和小室。

8.2.15 地下煤气管道从堆积易燃、易爆材料的下面穿越，会因易燃、易爆品发生燃烧和爆炸严重威胁地下煤气管道的安全，造成地下煤气管道的煤气泄漏，进而造成更大的危害；在具有腐蚀性液体的场地下敷设地下煤气管道会因腐蚀性液体的泄漏而严重腐蚀煤气管道，造成安全隐患；同时地下煤气管道的煤气泄漏和地上的易燃易爆品的危害性叠加，造成更大的危害。大型构筑物一般都是比较重要的工业设施或公共设施，禁止煤气管道从其下部穿越，是为了确保重要设施的安全。

8.2.16 地下煤气管道的焊口、法兰或螺纹接口在运行时，因施工质量、管沟沉降不均匀、腐蚀、积水和外在等原因，可能会产生煤气泄漏，若设在密闭的沟内，煤气外泄后逐渐聚集会达到爆炸下限。故煤气管道不宜设在密闭的沟内，沟内填满细砂可占据煤气逐渐聚集的空间，使得煤气无法聚集，消除了安全隐患。

8.2.17、8.2.18 在现行国家标准《工业企业煤气安全规程》GB 6222—2005中，对地下煤气管道与建构筑物和相邻管道间的最小水平净距、最小垂直净距都没有规定。故本规范对此部分内容进行了增加，条文是根据现行国家标准《城镇燃气设计规范》GB 50028、《钢铁企业总图运输设计规范》GB 50603 的相关规定，同时结合钢铁企业自身特点制定而成。

8.2.19 含湿煤气埋地时，应设在冻土层以下，以防止冷凝水冻结，冻土层之上的入地管道应采取保温措施。

8.2.20 地下煤气管道平行敷设在铁路下面，会因铁路机车的运行荷载和振动，造成地下煤气管道的破裂和损坏，造成煤气泄漏，地下煤气管道不宜平行敷设在主干道下面，其原因和上述相同，同时地下管道的运行维护也得不到保障。

8.3 管道工艺参数

8.3.2 采用现行国家标准《低合金高强度结构钢》GB/T 1591 中钢号 Q345 钢板卷焊管，或现行国家标准《输送流体用无缝钢管》

GB 8163 中钢号 Q345 无缝钢管时，其许用应力可按现行国家标准《压力管道规范　工业管道》GB/T 20801 选取。

8.3.3 本条参考了现行国家标准《压力管道规范　工业管道》GB/T 20801.2—2006 中附录 A.3 和《压力容器》GB 150.1—2011 中 4.5.2 条的有关规定，并结合常压煤气管道的特点编写的。

8.3.4 煤气管道的经济流速是指工作状态下的介质的实际流速。在满足用户接点压力的前提下，流速不宜太低，否则不仅会使管径选取偏大，造成投资增加，而且会使管道内积存沉淀物产生腐蚀，减少流通能力。尤其是焦炉煤气及融熔还原炉煤气流速不宜过低。

8.3.5 煤气管道管径计算公式系根据现行国家标准《工业金属管道设计规范》GB 50316—2000 第 7.1.4 条并结合煤气介质的特点编写的，公式中的流量为煤气工况流量，即标况流量与工况系数的乘积。计算结果按档取值后应以管道的实际内径反算煤气的实际流速，并应核算管道阻力损失，确认选用的管径是否可行。如不满足，应重新计算。

8.3.6 本条中管道壁厚计算公式是根据现行国家标准《工业管道设计规范》GB 50316—2000 和《压力管道规范　工业管道》GB/T 20801.3—2006中直管内压设计中相关内容编写的，本公式适用于 $t_s < D/6$ 的薄壁管道，钢铁企业内煤气管道均是薄壁管道，因此本公式对钢铁企业内煤气管道是适用的。当 $t_s \geqslant D/6$ 或 $p/([\sigma]^t\Phi) > 0.385$ 时。计算时还应考虑失效机理、疲劳影响和温差应力等因素。

8.3.7 现行国家标准《工业金属管道设计规范》GB 50316—2000 第 7 章中关于管道压力损失只给出了单相流计算公式，由于煤气管道中含有一定温度下饱和水蒸气，因此该计算公式不适用于计算煤气管道的压力损失。本条规定是参考了《钢铁企业燃气设计参考资料》(煤气部分)第四章中关于煤气管道压力降计算的相关内容编写的。

关于工作状态下的煤气含湿量，可利用公式 $d_c = 0.804 \frac{P_{H_2O}}{P + P_z - P_{H_2O}}$ 进行计算。公式中的符号含义见规范中的相关条文。

8.3.8 在管道跨距计算中，管道的计算荷载包括基本计算荷载和预留荷载两个部分。基本计算荷载系管道金属质量和事故水质量之和。水平煤气管道的事故荷载按积水高度 500mm 计算，$DN<$ 500mm 时，按全部充满积水计算。

预留荷载系为企业发展之需要而预先留出的一部分富余荷载。预留荷载一般为基本计算荷载的 20%～40%或以上，多根管道共架敷设时，可按其中最大一根管道考虑预留荷载。

按本条公式计算的煤气管道跨距公式中已包括了内压力在内的各种载荷引起的应力，故可以不进行应力校核，而且在实际工程设计时所取的跨距比计算跨距要小，反算的应力值比管道许用应力要小。

公式中 W 为管道扣除腐蚀裕量及负偏差后的抗弯截面模量（mm^3），$W=\pi(D_0^4-D_i^4)/32D_0$；I 为管道扣除腐蚀裕量及负偏差后的截面惯性矩（mm^4），$I=\pi(D_0^4-D_i^4)/64$；D_i 为管道内径（mm），$D_i=D_0-2(t_n-C_1-C_2)$。

8.4 管道附属设施

8.4.1 单座煤气放散塔时，宜靠近主管网的中部；有两座及以上放散塔时，宜分别布置在企业全厂净煤气总管的两端，使煤气总管两端的压力差不宜过大。

(1)全厂净煤气放散塔（高炉、COREX 炉与焦炉）：

全厂净煤气放散塔的最大与最小放散量，一般宜满足如下要求：

1)最大放散量≤产气量－产气单元自用量；

2)最小放散量≥全厂煤气平衡作业小时剩余量。

(2)本条第 6 款为强制性条款,必须严格执行。剩余煤气燃烧放散装置作为一套独立完整的设施,在其入口处应设隔断装置。同时为安全、环保的需要,放散装置还要配备放散煤气调压设施、点火燃料设施、氮气吹扫设施、分子或流体封防回火等设施。

(3)本条第 7 款为强制性条款,必须严格执行。现行国家标准《工业企业煤气安全规程》GB 6222 第 4.3.2 条规定,煤气调压放散管必须点燃并有灭火设施,管口高度应高出周围建筑物,一般距离地面不小于 30m。现行国家标准《石油化工企业设计防火规范》GB 50160—2008 规定"距离燃烧放散装置 30m 内严禁可燃气体放空"。这些规定主要是考虑到可燃气体点火放散装置(火炬)点燃放散后的热量对人员和设备的辐射影响以及对周围 30m 范围内其他放散可燃气体可能会形成混合性爆炸气体的爆炸性影响。本款规定主要是从人身和财产安全出发而制定的。

(4)本条第 8 款中剩余煤气放散装置与周围建(构)筑物的防火间距可参照现行国家标准《石油化工企业设计防火规范》GB 50160—2008第 4 章和石油化工行业标准《石油化工企业燃料气系统和可燃性气体排放系统设计规范》SH 3009—2013 第 9 章的有关内容并结合钢铁企业剩余煤气燃烧放散的特点进行计算确定。

钢铁企业剩余煤气主要包括高炉煤气、焦炉煤气、转炉煤气、融熔还原炉煤气、矿热炉煤气等,均以气体状态存在,且这些剩余煤气放散装置都要求点火放散而且燃烧完全,燃烧放散次数较少,时间较短。石油化工企业通过火炬燃烧排放的可燃气体中可能携带可燃液体,带液可燃气体可能因不完全燃烧而产生火雨,据调查,石油化工火炬火雨洒落范围为 60m 至 90m,因此危险性较大。可以看出,钢铁企业的剩余煤气燃烧放散装置和石油化工企业火炬的区别较大。考虑到钢铁企业剩余煤气燃烧放散的危险性较石油化工企业火炬排放的危险性低,因此,本规范中剩余煤气放散装置与周围建(构)筑物的防火间距可较《石油化工企业设计防火规范》GB 50160—2008 表 4.1.9 和表 4.1.10 中防火间距适当减少。

(5)本条中的第 9 款中放散塔距离地面 50m 的最低高度要求是根据国家安全监管总局《关于印发进一步加强冶金企业煤气安全技术管理有关规定的通知》(安监总管四〔2010〕125 号)第九条的规定而制定的。

8.4.2 本条中第 3 款为强制性条文,必须严格执行。当一个子系统需与运行的煤气干管切断隔离,进行施工、检修时仅采用一个蝶阀或闸阀或球阀作为隔离装置是不安全的,因为钢铁企业副产煤气不仅可燃而且有毒,如煤气中的一氧化碳 8h 作业的中毒浓度为 $30mg/m^3$(24ppm),而一氧化碳在空气中的爆炸下限为 15%,即中毒的浓度远比爆炸下限低 2 个～3 个数量级。煤气子系统运行几年后,一个蝶阀或闸阀或球阀为隔离装置的阀门因内泄漏而使施工检修区域形成中毒气氛。故规定了蝶阀、闸阀或球阀等单独使用时不是隔断装置,只有与 U 型水封、盲板阀或盲板等其中之一组合使用后才能彻底隔断煤气。

第 5 款中,当煤气管道计算压力大于 0.05MPa 时,由于煤气的计算压力较高,采用“煤气管道隔断装置应采用蝶阀、闸阀、球阀与盲板阀或盲板等其中之一组合的方式”是适宜的,此时不宜采用水封隔断形式。

第 6 款中,焊缝应首选射线检测,若受条件限制射线检测确有困难时,可采用带记录的超声波检测,并应征得设计和建设单位的同意。

8.4.3 第 1 款、第 2 款中,同一条管道的隔断装置两侧排水器上部如果连通,隔断装置就不能真正隔断,隔断装置上游侧的煤气会通过联通管流向下游侧,造成人身中毒伤害甚至爆炸事故。

不同煤气管道的排水器上部如果相连,会造成高压管道的煤气向低压管道窜流。

本条第 3 款为强制性条文,必须严格执行。不同介质的煤气管道如共用一个排水器，则可能发生互串，严重影响煤气管道的运行维护安全和用户生产。

8.4.5 隔断装置中两阀之间在有条件的情况下也可设置检查孔，以便调试阶段和停产检修期间观察阀板的运转情况和密封状态。

8.4.6 煤气管道设吹扫口和取样管的目的是在管道通气和停产检修时对管道内的空气或煤气进行置换和化验。焦油、萘含量较高的焦炉煤气可采用蒸汽吹扫置换，高炉煤气、转炉煤气等宜采用氮气吹扫置换。工作人员进入煤气管道前，应采用压缩空气吹扫置换氮气或蒸汽并合格。

吹扫置换完成后，必须将管接头上与氮气或蒸汽、空气相连接的软管断开。

管道正常运行时，也可以通过煤气取样管取样进行煤气成分和热值的分析。

8.4.7 本条为强制性条文，必须严格执行。按本规范第8.1.9条要求："在煤气管道隔断装置处、管道末端处及U型水封前后等处，均应设煤气放散管。"如果上述位置的部分放散管道相连，如隔断装置隔断装置前后放散管道相连通，会造成有气一侧的煤气通过连通管窜入到无气一侧，引发人身安全等事故，因此制定本条规定。

考虑到部分设备如TRT中燃气透平壳体上方的放散管道主要是用于启动时或检修前置换燃气透平腔体中的空气或煤气，其进出口管道上均已进行可靠隔断，且人员不会进入燃气透平的腔体中，因此不会对人身造成危害，可以将几个放散头汇集后放散到大气中，因此规定放散气集中处理的除外。

8.4.10 本条为强制性条文，必须严格执行。水封作为隔断装置时，其水封高度极为重要，已多次出现过因水封高度不够，使煤气泄漏并造成了人员伤亡的事故。主要原因是管网压力波动较大，水封有效高度被短时击穿。

考虑到钢铁企业的煤气管道口径较大，如进入转炉煤气柜前的转炉煤气管道和燃气—蒸汽联合循环电厂的高炉煤气入口管道的最高工作压力不大，但口径较大，如果水封的高度定得很高，操作荷载会很大，灌水和放水时间会很长，支架和基础会较为庞大，造成操作困难，投资较大。故在工程设计中应根据工程的具体情况、煤气的最高工作压力和管网的具体波动情况合理确定水封高度，以达到安全、合理、经济的目的。故本规范在适当提高安全性的同时也考虑到了水封的经济合理性，故将水封高度的下限值规定为不小于 20kPa(2000mmH_2O)。

8.5 管道检测要求

8.5.1、8.5.2 按照现行国家标准《工业金属管道设计规范》GB 50316—2000附录 J.2 的规定，低压煤气管道属于局部无损检测，比例不得低于 5%，焊缝的无损检测系指超声波或射线检测。若受条件限制射线检测有困难时，可采用带记录的超声波检测，并应征得设计和建设单位的同意。按照现行国家标准《工业金属管道工程施工质量验收规范》GB 50184 的规定，采用抽样或局部射线检测，其质量合格标准不应低于现行国家标准《承压设备无损检测　第 2 部分射线检测》JB/T 4730.2 规定的第Ⅲ级；采用抽样或局部超声波检测，其质量合格标准不应低于现行国家标准《承压设备无损检测　第 3 部分超声检测》JB/T 4730.3 规定的第Ⅱ级。

8.6 管道试压要求

8.6.2 无论是管道跨距设计还是管道支架设计，在管道计算中，管道的计算荷载包括基本计算荷载和预留荷载两个部分。基本计算荷载系管道金属质量和事故水质量之和。一般对大煤气管道只考虑了少量的事故积水荷载，$DN<500$mm 时，按全部充满积水计算，$DN\geqslant500$mm 时，水平管道的事故荷载按积水高度 500mm 计算。而实际工程中，一般煤气管道管径远大于 500mm，若采用液压试验时，管道中充满了水，荷载远超过设计荷载，会使管道断裂，

支架垮塌。故煤气管道强度试验和泄漏性试验严禁采用液压试验。

8.6.5 试压前不应对煤气管道进行涂漆和包扎，是针对煤气管道焊缝处而言的。

8.6.6 煤气管道上的附件包括人孔、法兰、补偿器、阀门及U型水封和排水器等，安全阀、泄爆阀不能参与系统试验，应拆卸。

8.7 管道表面处理与涂装

8.7.2 煤气管道表面预处理应采用手工、动力工具或喷射法除锈。现行国家标准《涂覆涂料前钢材表面处理 表面清洁度的目视评定》GB/T 8923—2011 规定：Sa2 表示彻底的喷射或抛射除锈，即钢材表面应无可见的油脂和污垢，并且氧化皮、铁锈和油漆涂层等附着物已基本清除，其残留物应是牢固附着的；St2 表示彻底的手工和动力工具除锈，即钢材表面应无可见的油脂和污垢，并且没有附着不牢的氧化皮、铁锈和油漆涂层等附着物。

8.7.3 第4款：与表8.7.3中相接近的国标色卡可参考《漆膜颜色标准样卡》GSB 05—1426。

8.8 管道吹扫

8.8.2 对煤气管道中的煤气进行置换时，若不需人员进入煤气管道内作业，只需用氮气来置换管道中的煤气，而不必用空气置换氮气。

9 辅助设施

9.1 电气设施

9.1.1 负荷分级主要是从安全和经济损失两个方面来确定。安全包括了人身、生命安全和生产过程、生产装备的安全。确定负荷特性的目的是为了确定其供电方案。

停电一般分为计划检修停电和事故停电，由于计划检修停电事先通知用电部门，故可采取措施避免损失或将损失减少至最低限度。本条文是按事故停电的损失来确定负荷的特性。

对于钢铁企业的煤气储配系统，中断供电将会产生人身伤害及危及生产安全，另外由于煤气储配系统是钢铁企业的能源命脉之一，因此中断供电将会对上游气源厂如高炉、焦化、转炉车间的煤气供应和下游用户如烧结、炼铁、轧钢、炼钢等生产带来较大的影响，可能会造成较大的经济损失，同时可能会带来较大的安全隐患和事故。因此规定其用电负荷按一级负荷设计，要求采用两路独立电源供电。同时对控制中心的计算机采用不间断电源(UPS)供电，供电事件不少于30min，以便有充分的事件处理停电事故。

由于煤气储存与输配系统生产供电负荷为一级负荷，作为安全硬件的消防用电，考虑与生产供电负荷保持一致性。因此其消防用电也按一级负荷供电。

9.1.2 本条按照现行的国家规范对煤气储存和输配系统主要的爆炸危险环境区域给予划分，由于本规范第7.0.25条规定：与加压机房或压缩机房毗邻而建的控制室设置了耐火极限不低于3.00h的无门、窗的防火墙，故其可以不划归为隔爆区域。

9.1.3 条文中第5款为现行国家标准《电梯制造与安装安全规范》GB 7588中关于电梯井筒照明的相关条文内容。稀油密封型干式煤气柜外部电梯的井筒也应符合该条文的要求。

条文中其他条款：现行国家标准《钢铁冶金企业设计防火规范》GB 50414—2007 中第 10.5.1、10.5.3、10.5.4 条对消防应急照明的部位、照度和消防疏散指示标志均作了明确的规定。

9.1.4 《民用机场飞行区技术标准》MH 5100、国际民航组织颁发的《国际标准和建设措施机场》附件十四及中华人民共和国民用航空行业标准《航空障碍灯》MH/T 6012 中对航空障碍灯的低光强、中光强和高光强三种类型下所对应的灯光颜色、投光方式及数据、有效光强、可视范围、适用高度等均作了明确的规定。

9.1.5 条文中第 1 款：根据现行国家标准《建筑物防雷设计规范》GB 50057—2010 中第 3.0.3 条规定，将煤气柜和煤气加压站房划分为第二类防雷构筑物；第 4.3.10 条规定：当煤气柜高度小于或等于 60m、罐顶壁厚不小于 4mm 时，或当其高度大于 60m、罐顶壁厚和侧壁壁厚均不小于 4mm 时，可不装设接闪器，但应接地，且接地点不应少于 2 处，两接地点间距离不宜大于 30m，每处接地点的冲击接地电阻不应大于 30Ω。当防雷的接地装置符合现行国家标准《建筑物防雷设计规范》GB 50057—2010 第 4.3.6 条的规定时，可不计及其接地电阻值，但现行国家标准《建筑物防雷设计规范》GB 50057—2010 第 4.3.6 条所规定的 10Ω 可改为 30Ω。放散管和呼吸阀的保护应符合现行国家标准《建筑物防雷设计规范》GB 50057—2010 第 4.3.2 条的规定。

本条中煤气储配站区域内的建(构)筑物如果在周边的现有避雷针有效保护半径以内，则可以不设避雷设施。

9.2 自动化控制与检测

9.2.1、9.2.2 活塞上部空间处于半封闭状态，通风条件较差，气柜在运行过程中，对稀油柜而言，残存在侧板之间倒角内的煤气通过活塞的升降而溢出到活塞上部；另外，活塞板等与煤气接触的焊缝部位也会渗漏少量煤气。上述这些泄漏的煤气致使活塞上部的煤气浓度逐渐增高，会给进入活塞上部检查人员带来严重威胁，因此应设固定式一氧化碳检测报警装置。

煤气进出口管坑内应设固定式一氧化碳检测报警装置的条文说明见本规范条文说明第4.2.6条第1款第7项。

操作值班室虽然与煤气生产车间不直接接触（无门、无窗毗邻），但仍处于煤气生产大环境中，为防患于未然，要求设置固定式一氧化碳检测报警装置。国家安全监管总局《关于印发进一步加强冶金企业煤气安全技术管理有关规定的通知》（安监总管四〔2010〕125号）第三条也对此有明确规定。

9.2.3 流量配比调节系统的混合站是根据混合煤气压力和参与混合的两种热值煤气的流量比例进行自动调节的系统，其方法主要就是保持两种热值的煤气的体积混合比不变以及混合后的煤气压力恒定，从而保证在混合煤气热值不变的前提下满足用户用量变化的需求，为此设置煤气流量检测装置并配合压力检测信号设计相应的联锁控制是必要的。

9.2.6 国外钢铁业能源中心技术已十分成熟，并结合ERP功能不断扩展和深化。国内钢铁企业近年来随着信息化的推进，许多企业已经建立或正准备建立能源中心。

9.2.7 对于重要的、密切关系到能源生产安全运行、人身安全的能源潮流和设备，EMS提供直接的非常监视和操作功能，即不再通过网络通信，而以硬接线的信号传递方式直接对现场设备进行监控，主要针对电力系统、动力系统的相关设备，配置几组非常监控仪表，其中对于每个煤气柜单独设置一套监控仪表。

EMS动力系统中的非常监控：包括对柜位信号实现非常监视；对煤气柜出/入口阀门开/闭实现非常操作；对煤气加压机和进出口阀门的开启或关闭实现非常操作；对转炉煤气回收系统电除尘进口阀门的开启或关闭实现非常操作。

非常监视信号作为正常运行监视内容，显示方式必须直观易见，并带有独立的报警功能。

9.3 火灾报警和通信

9.3.2 行政电话是生产、管理部门对内对外通信联系的主要手段，应在管理部门办公室设置电话自动单机。

无线对讲机是煤气储配站工程安装调试、巡检工作的重要通信工具，系统工作方式可采用异频单工方式。无线电设备应向当地无线电管理委员会申请使用频率并批准后采购。

调度电话是煤气储配站生产调度值班人员组织指挥生产、协调处理生产中出现的问题的通信要求，在控制室设置程控调度电话系统。

为了便于监视危险场所、主要生产设备运行情况和站区环境，在煤气加压站主厂房和柜容指示器等重要部位，可根据企业生产规模、自动控制水平，适当设置工业电视摄像设备，其防爆要求应符合现行国家标准《爆炸危险环境电力装置设计规范》GB 50058的有关规定。

工业电视系统应预留网络接口，可根据需要接入企业生产管理控制系统，以提供图像监视、事件搜索、录像回放等功能。

9.4 消防和给排水设施

9.4.1 关于煤气储配站内建构(筑)物消防车道的设置，现行国家标准《建筑设计防火规范》GB 50016—2014 中第 7.1 节已有明确规定，本规范应遵照执行。

9.4.5 本条第 2 款：稀油密封型煤气柜采用稀油作为密封油，其密封油用量视气柜容积的不同而不同，10000m^3 多边形稀油柜密封油用量约为 50t，300000m^3 多边形稀油柜密封油用量约为 250t。虽然大容积稀油柜的密封油用量较大，但所用油品均为闪点180℃以上的丙类难燃油品，并且煤气柜附属设施如电机、照明等均采取了防爆措施，一般情况下不会有燃烧爆炸情况发生。

稀油密封型干式煤气柜因其储存压力较高、低碳环保(污水量很少)、节能(综合利用副产煤气、部分免除煤气二次加压)等诸多优点,得到了世界各个国家的广泛采用,节约了大量的一次能源。仅在国内,已建成投运的干式柜已经超过400余座,均未设置固定喷淋冷却灭火系统。

2006年宝钢新建两座30万m^3干式煤气柜,上海市消防局《关于宝钢二座煤气柜不设固定冷却设备的复函》[〔2006〕沪公消(建函)字第0080号]明确回复:"一、30万$m^3$2号焦炉煤气柜和30万m^3COREX煤气柜直径64.6m,侧板高度107m,采用闪点为180℃的稀油作为密封油,其储量分别为235吨和260吨,属丙类难燃油品。二、根据国家消防技术规范新修订的相关条文和本市现有30万m^3煤气柜的运行情况,2号焦炉煤气柜和COREX煤气柜可不设固定喷淋冷却灭火系统。"

基于上述原因和实际情况,本规范制定此条文。

9.4.6 关于煤气储配站消防给水及消火栓系统的设计,现行国家标准《消防给水及消火栓系统技术规范》GB 50974中已有明确规定,本规范应遵照执行。

9.5 采暖与通风

9.5.1 现行国家标准《工业建筑供暖通风与空气调节设计规范》GB 50019中第3.1.1条对冬季室内计算温度进行了详细的规定。

9.5.3 现行国家标准《电梯制造与安装安全规范》GB 7588第6.1.1条规定:电梯机房可设置:"b)该房间的空调或采暖设备,但不包括以蒸汽和高压水加热的采暖设备。"据此制定本条。

9.5.4 其他与煤气接触的密闭空间是指多边形稀油柜煤气柜进(出)口管坑、煤气设施的一次仪表室和煤气管道排水器室等应设强制通风装置,但不含煤气柜活塞上部。

9.6 建筑与结构

9.6.1 本条为强制性条文,必须严格执行。煤气储配站内的火灾危险性系根据现行国家标准《建筑设计防火规范》GB 50016—2014 中第 3.1.1 条和第 3.1.3 条的有关规定进行分类的。

油泵房内有油水分离器和油泵，密封油油品闪点≥180℃，油水分离器内的密封油来自煤气柜底部油沟，油泵站运行过程中密封油夹带的微量煤气通过油水分离器释放到房间内。因此将油泵房的火灾危险性划分为丙类。

煤气储配站内所用油品主要有：油浸变压器用油，稀油密封型煤气柜密封油，注油式螺杆压缩机用油，压缩机、鼓风机、阀门液压站用油均属于润滑油，它们的闪点均大于 60℃，因此将其划分为丙类。

热值仪室系将气体进行燃烧，以测定热值的设备。煤气取样分析室系对煤气进行在线取样分析的小室。上述设施的煤气取样管直径较小，一般为 *DN*15 及以下。根据现行国家标准《建筑设计防火规范》GB 50016—2014 中第 3.1.1 条的有关规定，将其划为丁类。

操作控制室装设的检测仪表为二次仪表，将其划为丁类。

9.6.2 现行国家标准《建筑工程抗震设防分类标准》GB 50223 第 5.1.5 条，对煤气柜建设地区的抗震设防类别作了规定。结构专业根据本条的抗震设防类别再按照现行国家标准《建筑抗震设计规范》GB 50011 进行结构设计。

10 安全与环保

10.2 安 全

10.2.1 本条第2款:煤气柜应设高位、低位及高压、低压声光报警及联动保护包括:煤气柜位或压力达到上限时能自动放散和手控放散;煤气柜位或压力降到下限时,应有自动停止向外输出煤气或自动充压的装置。

第8款:煤气防护站应尽可能设在煤气发生装置附近或煤气设备分布的中心且交通方便的地方,煤气防护人员应集中住在离工厂较近的地区。煤气防护站应配备煤气急救专用电话,呼吸器,通风式防毒面具,充填装置,万能检查器,自动苏生器,隔离式自救器,担架,便携式 CO、O_2 含量和可燃气体报警仪,防爆测定仪及供危险作业和抢救用的其他设施(如对讲电话),并应配备救护车和作业用车等,且应加强维护,使之经常处于完好状态。

第10款:操作平台采用直梯或斜体由设计根据使用目的和频率进行确定。对阀门较多,需经常操作的阀门,宜采用斜梯。

10.2.2 本条第2款:现行国家标准《石油化工可燃气体和有毒气体检测报警设计规范》GB 50493 第3.0.1条规定:在生产或使用可燃气体及有毒气体的工艺装置和储运设施的区域内,对可能发生可燃气体和/或有毒气体的泄漏进行监测时,应设置可燃气体检(探)测器和有毒气体检(探)测器。